"十四五"职业教育国家规划教材

职业教育汽车类专业"互联网+"创新教材

汽车空调与舒适系统技术（初级）

第2版

主　编	刘冬生	黄华文	李晓光		
副主编	陈小阳	张燕冲	莫豪锐		
参　编	李瑞弘	何启勇	符策大	荆红伟	陈帮鸿
	符永恒	符史仁	朱　锋	何小挺	徐　昊

机械工业出版社

本书是"十四五"职业教育国家规划教材。

本书按照汽车运用与维修职业技能等级标准的要求编写，由制冷暖风性能检查、制冷系统的检查与维护、过滤通风系统与空调控制系统的检查、全自动空调控制系统的检查、新能源汽车电动空调系统的检修、新能源汽车热泵空调系统的检修和舒适系统的设定与维护 7 个模块组成，每个模块包括学习目标（知识目标、技能目标、素养目标）、任务描述、相关知识、学习任务单、实训任务、工作任务单和评分细则 7 部分。实训任务、工作任务单和评分细则几乎涵盖了汽车电子电气与空调舒适系统技术初级职业技能等级证书考核标准所要求的技能点。

本书采用了大量的图片，彩色印刷，并整合了移动多媒体技术，在书中相关资料文本或图片附近设置了二维码，读者用智能手机进行扫描，便可在手机屏幕上显示与教学材料相关的多媒体内容，方便读者理解相关知识，以便更深入地学习。

本书内容新颖全面、图文并茂、通俗易懂、易学好教，可作为职业院校汽车类专业学生的教学用书，也可作为职业技能培训和相关从业人员的参考书。

为方便教学，本书配有电子课件、学习任务单答案、工作任务单答案等资源。凡选用本书作为授课教材的教师均可登录 www.cmpedu.com，以教师身份注册后下载相关资源，或咨询相关编辑，编辑QQ：729163363。

图书在版编目（CIP）数据

汽车空调与舒适系统技术：初级 / 刘冬生，黄华文，李晓光主编. -- 2版. -- 北京：机械工业出版社，2025.9. --（"十四五"职业教育国家规划教材）.
ISBN 978-7-111-79203-1

I. U463.85

中国国家版本馆CIP数据核字第2025QS7745号

机械工业出版社（北京市百万庄大街22号　邮政编码100037）
策划编辑：师　哲　　　　　责任编辑：师　哲　谢熠萌
责任校对：李　杉　王　延　　封面设计：张　静
责任印制：任维东
北京宝隆世纪印刷有限公司印刷
2025年10月第2版第1次印刷
210mm×285mm・10.25印张・192千字
标准书号：ISBN 978-7-111-79203-1
定价：46.00 元

电话服务　　　　　　　　网络服务
客服电话：010-88361066　机　工　官　网：www.cmpbook.com
　　　　　010-88379833　机　工　官　博：weibo.com/cmp1952
　　　　　010-68326294　金　书　网：www.golden-book.com
封底无防伪标均为盗版　机工教育服务网：www.cmpedu.com

关于"十四五"职业教育
国家规划教材的出版说明

为贯彻落实《中共中央关于认真学习宣传贯彻党的二十大精神的决定》《习近平新时代中国特色社会主义思想进课程教材指南》《职业院校教材管理办法》等文件精神，机械工业出版社与教材编写团队一道，认真执行思政内容进教材、进课堂、进头脑要求，尊重教育规律，遵循学科特点，对教材内容进行了更新，着力落实以下要求：

1. 提升教材铸魂育人功能，培育、践行社会主义核心价值观，教育引导学生树立共产主义远大理想和中国特色社会主义共同理想，坚定"四个自信"，厚植爱国主义情怀，把爱国情、强国志、报国行自觉融入建设社会主义现代化强国、实现中华民族伟大复兴的奋斗之中。同时，弘扬中华优秀传统文化，深入开展宪法法治教育。

2. 注重科学思维方法训练和科学伦理教育，培养学生探索未知、追求真理、勇攀科学高峰的责任感和使命感；强化学生工程伦理教育，培养学生精益求精的大国工匠精神，激发学生科技报国的家国情怀和使命担当。加快构建中国特色哲学社会科学学科体系、学术体系、话语体系。帮助学生了解相关专业和行业领域的国家战略、法律法规和相关政策，引导学生深入社会实践、关注现实问题，培育学生经世济民、诚信服务、德法兼修的职业素养。

3. 教育引导学生深刻理解并自觉实践各行业的职业精神、职业规范，增强职业责任感，培养遵纪守法、爱岗敬业、无私奉献、诚实守信、公道办事、开拓创新的职业品格和行为习惯。

在此基础上，及时更新教材知识内容，体现产业发展的新技术、新工艺、新规范、新标准。加强教材数字化建设，丰富配套资源，形成可听、可视、可练、可互动的融媒体教材。

教材建设需要各方的共同努力，也欢迎相关教材使用院校的师生及时反馈意见和建议，我们将认真组织力量进行研究，在后续重印及再版时吸纳改进，不断推动高质量教材出版。

机械工业出版社

前言

本书根据职业院校的教学特点，以提高学习者的职业能力和职业素养为宗旨，倡导以学生为本的教育理念，在进行广泛的企业、行业调研的基础上编写而成。

本书借鉴了德国职业教育的先进教学理念，把行业能力标准作为课程教学目标和鉴定标准，按照行业能力要求组织教学内容。在本书的开发中充分体现了一体化的职业教育理念，贯穿"工作过程系统化"的项目课程开发思想，针对职业院校学生的学习特征设计教学活动。教学活动环境主要是模拟企业真实的工作场所，学生通过完成任务描述所布置的任务掌握必需的理论知识，再通过实训任务来解决任务描述中的问题，进而逐步具备综合的职业能力。

本书突出了职业教育的特色，主要特点如下：

1. 本书采用模块式编写模式，包括制冷暖风性能检查、制冷系统的检查与维护、过滤通风系统与空调控制系统的检查、全自动空调控制系统的检查、新能源汽车电动空调系统的检修、新能源汽车热泵空调系统的检修和舒适系统的设定与维护7个模块。每个模块按照学习目标、任务描述、相关知识、学习任务单、实训任务、工作任务单和评分细则的顺序进行编排。

2. 本书编写过程中参考了《汽车专业领域职业技能等级证书汽车运用与维修职业技能考核培训方案准则》，是"课证融通"教材的新尝试。

3. 本书坚持理论与实践、知识学习与技能训练一体化，贯彻"做中学、学中做"的职教理念，强调实践与理论的有机统一。技能上力求满足企业用工需要，理论上做到适度、够用。

4. 本书坚持过程评价与成果评价相结合，即对学生在学习每个模块过程中的表现和最后的实训成果进行评价。评价要求明确、直观、实用，可操作性强，可以很好地调动学生的学习积极性。

本书由刘冬生、黄华文、李晓光任主编，陈小阳、张燕冲、莫豪锐任副主编。其中刘冬生有8年的汽车企业工作经历，有丰富的汽车维修实践经验，为双师型教

师。参与本书编写的还有李瑞弘、何启勇、符策大、荆红伟、陈帮鸿、符永恒、符史仁、朱锋、何小挺和徐昊。

  编者在编写本书的过程中进行了大量的汽车维修企业调研，掌握了大量的汽车维修方面的技术要求与行业最新动态，并较好地融入教材中，同时参考了大量的书籍并借鉴了汽车维修手册和相关培训资料，谨在此向其作者及资料提供者表示诚挚的谢意。

  由于编者水平有限，书中难免有不妥之处，恳请广大读者和专家批评、指正。

编 者

二维码索引

页码	二维码	名称	页码	二维码	名称
19		制冷系统压力测量	49		制冷剂的回收与加注
21		压力检漏（肥皂水检漏）	54		拆卸冷凝器
21		电子检漏仪检漏	55		拆卸膨胀阀
22		荧光剂检漏	101		电动空调系统组成
24		制冷剂成分鉴别	101		空调制冷系统组成与原理
46		手动排放制冷剂	102		电动压缩机结构与原理
46		制冷系统抽真空	106		PTC加热器结构与原理
47		加注冷冻机油	106		空调暖风系统组成与原理
48		手动加注制冷剂	107		空调通风系统组成与原理

目 录

前言

二维码索引

模块一 制冷暖风性能检查 ……………1

学习目标 ……………………………1
任务描述 ……………………………1
相关知识 ……………………………1
　一、制冷的基础知识 ………………1
　二、汽车空调的作用 ………………6
　三、汽车空调的类型 ………………7
　四、汽车空调的组成 ………………8
学习任务单 …………………………15
实训任务 ……………………………17
工作任务单 …………………………26
评分细则 ……………………………27

模块二 制冷系统的检查与维护 ………28

学习目标 ……………………………28
任务描述 ……………………………28
相关知识 ……………………………28
　一、压缩机 …………………………28
　二、冷凝器 …………………………36
　三、干燥滤清器 ……………………37

　四、节流元件 ………………………38
　五、蒸发器 …………………………42
　六、制冷系统管路 …………………43
学习任务单 …………………………45
实训任务 ……………………………46
工作任务单 …………………………56
评分细则 ……………………………57

模块三 过滤通风系统与空调控制系统的检查 ……………58

学习目标 ……………………………58
任务描述 ……………………………58
相关知识 ……………………………58
　一、空气净化装置 …………………59
　二、空调通风控制 …………………59
　三、空调控制系统 …………………65
　四、空调系统电路 …………………70
学习任务单 …………………………72
实训任务 ……………………………73
工作任务单 …………………………81
评分细则 ……………………………82

模块四 全自动空调控制系统的检查 ……………83

　　学习目标 …………………………………… 83
　　任务描述 …………………………………… 83
　　相关知识 …………………………………… 83
　　　一、全自动空调控制系统概述 ………… 83
　　　二、全自动空调控制系统的组成 ……… 84
　　　三、全自动空调控制系统电路图 ……… 89
　　学习任务单 ………………………………… 91
　　实训任务 …………………………………… 92
　　工作任务单 ………………………………… 98
　　评分细则 …………………………………… 99

模块五　新能源汽车电动空调系统的检修 ………………………… 100

　　学习目标 ………………………………… 100
　　任务描述 ………………………………… 100
　　相关知识 ………………………………… 100
　　　一、制冷系统的结构与工作原理 ……… 101
　　　二、取暖（制热）系统的结构与工作原理 ……………………… 104
　　　三、通风系统 …………………………… 107
　　　四、控制系统 …………………………… 107
　　学习任务单 ……………………………… 113
　　实训任务 ………………………………… 114
　　工作任务单 ……………………………… 118
　　评分细则 ………………………………… 119

模块六　新能源汽车热泵空调系统的检修 ………………………… 120

　　学习目标 ………………………………… 120
　　任务描述 ………………………………… 120
　　相关知识 ………………………………… 120
　　　一、热泵空调系统的基本组成与工作原理 ……………………… 121
　　　二、比亚迪纯电动汽车热泵空调系统的组成与工作原理 ……… 122
　　学习任务单 ……………………………… 130
　　实训任务 ………………………………… 131
　　工作任务单 ……………………………… 134
　　评分细则 ………………………………… 135

模块七　舒适系统的设定与维护 …… 136

　　学习目标 ………………………………… 136
　　任务描述 ………………………………… 136
　　相关知识 ………………………………… 136
　　　一、电动车窗 …………………………… 136
　　　二、电动后视镜 ………………………… 141
　　　三、电动座椅 …………………………… 142
　　　四、电动天窗 …………………………… 143
　　学习任务单 ……………………………… 146
　　实训任务 ………………………………… 148
　　工作任务单 ……………………………… 154
　　评分细则 ………………………………… 155

参考文献 …………………………………… 156

模块一

制冷暖风性能检查

学习目标

知识目标

1）掌握空调技术基本术语。

2）掌握汽车空调系统的作用、分类与组成。

3）掌握制冷系统的作用、组成与工作过程。

技能目标

1）能在实车或空调系统实训台架上认知空调系统各部件。

2）会操作空调系统并检查空调系统工作是否正常。

3）会检测制冷剂的成分。

4）会检查制冷系统的泄漏。

5）会检测制冷与暖风系统的性能。

素养目标

1）能够在工作过程中与小组其他成员合作、交流，养成团队合作意识，锻炼沟通能力。

2）养成 7S 的工作习惯。

3）养成服从管理、规范作业的良好工作习惯。

任务描述

一辆丰田卡罗拉轿车用户反映：空调暖风效果较差，需要对空调系统进行检查，确定故障部位并进行修理。

相关知识

一、制冷的基础知识

1. 物质的形态

地球上所有的物质都是以固体、液体或气体三种形态存在的。固体具有一定的形状和体积，液体具有一定的体积但无一定的形状，气体则既无一定的体积也无一定的形状。物质存在的三种状态在一定条件下可以相互转变。当其热量发生足够的变化时，物质会从一种状态转变为另一种状态。

小知识

在1个标准大气压下，水这种常见的物质在0℃以下的状态是固体，称为冰。如果对其输入足够的热量，固态水（冰）就会融化成液态（水），若再对其输入足够的热量使其沸腾，它就会转变成气态（水蒸气），如图1-1所示。反之，水蒸气在密闭容器内，将其转移出足够的热量，则由气态转变为液态，再继续将其热量转移，液态即转变为固态。所有的物质，当其热量有足够变化时，它存在的状态就会发生变化。

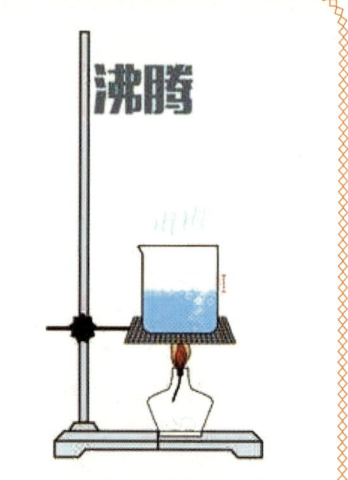

图1-1 水由液态变为气态

由固态转变成液态的现象称为熔化，由液态转变成气态的现象称为汽化，由气态转变成液态的现象称为液化或冷凝，由液态转变成固态的现象称为凝固。

物质汽化的过程是吸热的过程，汽化的方式有蒸发与沸腾两种。在液体表面进行的汽化现象称为蒸发，蒸发可在任何温度下进行，温度越高或液体表面压力越低，则蒸发越快；在液体表面和内部同时进行的汽化现象称为沸腾，沸腾必须在温度达到沸点时才能进行，对液体加热或降低液体表面压力都可使液体沸腾。

小知识

人在游泳后，露出水面的身体部分会有冷的感觉，这是因为附着在身体上的水在外界条件（阳光照射、风、气温）作用下，由液体变成了水蒸气，吸收了身体的热量，降低了皮肤的温度。水蒸发得越快、越多，人就会感觉越冷，如图1-2所示。

图1-2 水蒸发吸热

在汽车空调系统中，主要用到的两个物理形态的转换过程是汽化和液化。其中，汽化过程是采用降低压力的方法，使液态制冷剂在蒸发器内不断吸收周围空气的热量而汽化，这个过程通常是在蒸发器中以沸腾的方式进行的，但是习惯上会称为

"蒸发过程",并把沸腾时的温度称为蒸发温度,沸腾时所保持的压力称为蒸发压力。液化过程是采用降低温度的方法,使气态制冷剂在冷凝器内不断散发热量,温度降至沸点以下,从而使气态制冷剂凝结为液态制冷剂。

2. 热

热是能量的一种形式,热量与做功一样,可作为能量变化的量度。热传递的过程,实质上是能量转移的过程,而热量就是能量转换的一种量度。在国际单位制中,将热量单位与功的单位统一为J,中文名称为焦。现在也喜欢用"卡路里"表示热量,即在标准大气压下将1g纯水加热使其温度升高1℃时,所吸收的热量即为1卡路里,卡路里在我国为非法定单位。

(1) **热的种类**　物质的热量是变化的,当物质吸热或放热时,有时温度会发生变化,有时形态会发生变化,根据这些现象可将热量分为显热和潜热两种形式。

1) 对物体加热或减热,物体的温度发生变化而状态不变时,把增加或减少的热量称为显热,通常将其理解为能够感知的"热",显热可以用温度计进行测量。

2) 潜热就是潜在的热,是一种隐藏的热量。当对物体加热或减热时,物体的状态发生变化而温度不变,把减少或增加的热量称为潜热。潜热是物质从一种状态变化为另外一种状态时所需要的能量。所有的物质都具有潜热,但它无法被感觉到,也不能用温度计进行测量。例如,当水的温度达到沸点时,若继续对其加热,水的温度便停留在沸点位置不再升高,直至水完全变成水蒸气为止。在整个加热过程中,增加的热使水变成水蒸气,也就是说这部分热使水发生了状态的变化。

(2) **热的传递**　热的传递称为热流,热流是自然发生的,是从高温物体向低温物体传送热量的过程,并且温度的差别越大,热量传送的速度就越快。

热的传递有热辐射、热传导和热对流三种方式,如图1-3所示。

1) 热辐射是指热源以辐射波的形式直接向其周围的空间散发热量的现象。例如太阳光使冰块融化就是典型的热辐射。

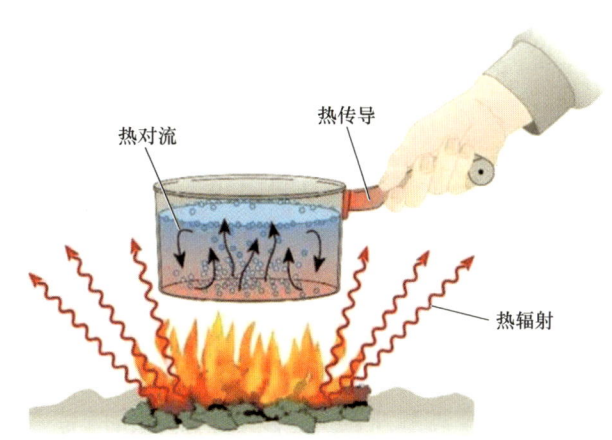

图1-3　热的传递方式

2) 热传导是指热量在物体内部从高温端向低温端直接传递的现象。热传导是物体本身的热能流动。当物体的一侧被加热后,热传导过程就发生了,热量就会通过物体传送到比较冷的一侧。传热性能良好且热量损失较少的材料称为热导体,而不容易使热量通过的材料称为绝热体。

3）热对流是指在温度不同的流体中，各部分之间发生相对位移，使冷热流体相互掺混引起热量传递的现象。冷的流体要比热的流体重一些。当热的流体向上运动时，冷的流体就下沉到底部，这就开始了循环流动。

3. 温度、湿度和压力

（1）温度　温度是表示物体冷热程度的物理量，常用 T 表示。温度越高，物体就越热。常用的温度单位是摄氏度，用符号"℃"表示。

> **小知识**
>
> 在1个标准大气压下，水在开口的容器中沸腾时，它的温度是100摄氏度，表示为100℃；水开始结冰时的温度是0摄氏度，表示为0℃。

温度还可以用华氏度、开氏度表示，符号分别是 °F 和 K。它们之间有换算关系。用于测量温度的仪器称为温度计。测试汽车空调的温度计有玻璃棒温度计、半导体温度计和热电偶温度计。

（2）湿度　湿度表示空气中含有水蒸气的量。一定体积和温度的空气中含有的水蒸气越多，空气越潮湿，反之越干燥。

湿度的高低会影响人体对热的感受程度，随着温度的升高，湿度对人体舒适性的影响变大。空气湿度影响着皮肤表面黏液和汗液的蒸发及皮肤水分的扩散，因此会影响人体对温度的热感觉。低湿度时，皮肤极度的干燥会导致皮肤的损伤、粗糙和不舒适性；高湿度时，则使皮肤中的水分增加并关闭汗腺，减少出汗使人感觉不舒适。人体感觉舒适的湿度为50%~70%。

（3）压力　压力是指作用在物体单位面积上的力，也称为压强，常用 p 表示。在国际单位制中，压力的单位为帕斯卡（Pa）。在汽车空调系统检修中，利用压力表可以测量制冷系统的高、低压力和真空度。

> **小知识**
>
> 检修过程中遇到的压力，是指液体或气体在系统内对系统内壁面的作用力。通常用每平方米壁面上的作用力表示。例如，$1m^2$ 壁面上的作用力是1N，就是1帕斯卡，用符号 Pa 表示。地球表面包围着一层很厚的大气层，大气的重量对地球表面物体单位面积上所产生的压力称为大气压力（简称为大气压）。大气作用于地球表面的压力相当于101325Pa，所以 Pa 是一个很小的单位。因此，常用1000Pa 作为一个单位，用符号 kPa 表示，叫作"千帕"。如果用 1000000Pa 作为

模块一　制冷暖风性能检查

一个单位，就称为"兆帕"，用符号 MPa 表示。欧洲有些国家采用 psi（lbf/in^2）作为压力单位，还有些国家使用 bar（巴）作为压力单位。

$$1\text{MPa} \approx 145\text{psi} \text{ 或 } 1\text{psi}=6.89\text{kPa}$$
$$1\text{bar} \approx 100\text{kPa}$$

压力表指示的压力是系统内的压力与外界大气压力的差值，称为工作压力或表压力。用压力表测大气压力，指示值为 0。当制冷剂的压力高于大气压力时，其值称为表压力；当制冷系统的压力低于大气压力时，其值称为真空。

压力的大小也会影响沸点（液体"沸腾"时的温度）的高低，压力低，沸点较低；压力高，沸点较高。

4. 制冷剂与冷冻机油

（1）**制冷剂**　制冷剂是在制冷系统中完成制冷循环的工作介质，俗称为"冷媒"或"冰种"，它可根据空调系统的要求实现液态和气态间的相互转换。目前汽车空调系统中的制冷剂有 R12、R22 和 R134a 三种。但由于 R12 与 R22 会破坏臭氧层，已经被弃用；R134a 制冷剂无色、无味、不燃烧、不爆炸，基本无毒性，化学性质稳定，也不破坏臭氧层，因此又被称为环保冰种，在汽车中得到全面使用，如图 1-4 所示。但由于 R134a 是一种温室气体，为了控制全球变暖，还需要找到更理想的制冷剂。

目前，汽车空调使用的 R134a 制冷剂为一次性铁罐包装，每个包装内有制冷剂约 300g。

（2）**冷冻机油**　在空调制冷系统中，为了保证压缩机正常运转，必须对其进行润滑，所使用的机油称为冷冻机油或冷冻润滑油，简称为冷冻油，如图 1-5 所示。

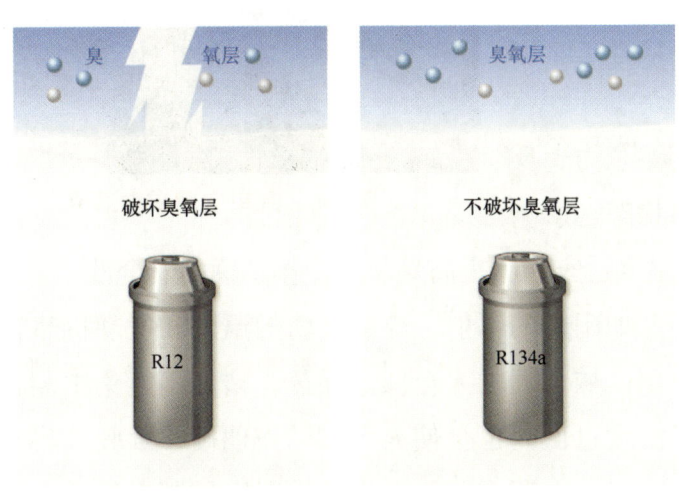

图 1-4　汽车空调制冷剂

图 1-5　冷冻机油

冷冻机油在制冷系统中主要有以下作用：

1) 润滑作用：冷冻机油可润滑压缩机轴承、活塞、活塞环、连杆和曲轴等零部件表面，减小运动阻力和减少磨损，降低功耗，延长使用寿命，提高制冷效果。

2) 冷却作用：运动的摩擦表面会产生高温，需要用冷冻机油来冷却。冷冻机油能及时带走表面摩擦产生的热量，防止压缩机温度过高以至烧坏。

3) 密封作用：冷冻机油渗入各摩擦件密封面形成密封，可防止制冷剂泄漏。

4) 降低压缩机噪声：冷冻机油不断冲洗摩擦表面，带走磨屑，可减少摩擦件的磨损，降低压缩机工作噪声。

国产冷冻机油牌号有13号、18号、25号、30号和企业标准40号五种。进口冷冻机油有SUNIO3GS、SUNISO4GS、SUNISO5GS三种牌号。通常选用国产18号和25号冷冻机油或SUNISO5GS冷冻机油。

冷冻机油清澈呈淡黄色，任何杂质都会使油质变色而成棕色甚至黑色。它的另一种特性是无味，因此，制冷系统内的冷冻机油若有强烈气味，则表示该油已不纯。

二、汽车空调的作用

人们在一定的环境温度及大气湿度下会感到舒适，空调系统最主要的作用就是追求这种舒适性。车内的舒适状态取决于空气温度、湿度、空气流速和空气洁净度等指标。

空调系统把经过处理的空气以一定的方式送入车内，如图1-6所示，从而将车内的环境状况控制在一定范围内，以满足驾乘人员的舒适性需求，具体包括温度调节、除湿和通风（净化）等功能。

图1-6 汽车空调车内通风

1. 温度调节功能

人处于最佳舒适状态时，其注意力、反应能力将会达到最佳。驾驶人的状态是影响行车安全的一个重要因素，车内温度适宜能够提高驾驶人操作车辆的安全性。

影响车内温度的因素有很多，如阳光的辐射、外部环境的温度和发动机热辐射等。当温度过高时，特别是在头部区域，驾驶人会感到燥热，精力不能集中，思维迟钝，很容易造成交通事故。当温度过低时也会使人手脚动作僵硬，驾驶人将不能灵活操作车辆，同样也存在安全隐患。空调系统可以将车内温度控制为最适宜人体的温度，以保证驾驶人以最佳状态驾驶车辆。

模块一 制冷暖风性能检查

2. 除湿功能

空调系统的除湿功能不但可以提高车内环境的舒适度，还可以预防或去除风窗玻璃上的雾、霜和冰雪，为驾乘人员提供良好的驾驶视野，改善驾驶条件，保障行驶安全。

3. 通风（净化）功能

汽车空调除了能保证驾乘人员的热舒适性和驾驶安全性以外，还具有通风作用，可将外界的新鲜空气引入车内，并通过滤清器或活性炭滤清器进行净化处理，以提高车内空气的洁净度。

汽车空调已经成为现代轿车的基本配置。

三、汽车空调的类型

汽车空调可以按压缩机的驱动方式、控制方式和温度可调节区域的不同进行分类。

1. 按压缩机的驱动方式不同分类

按压缩机的驱动方式不同，汽车空调可以分为独立式空调和非独立式空调。

（1）**独立式空调** 独立式空调由专用空调发动机来驱动制冷压缩机。独立式空调系统的制冷量大，其运行过程稳定，不受主发动机工作情况的影响，但成本高、体积及质量大，多用于制冷量较大的大中型客车上，如图1-7所示。

（2）**非独立式空调** 非独立式空调由汽车发动机或驱动电机直接驱动制冷压缩机。这种汽车空调结构紧凑，但其消耗发动机功率的10%~15%，降低了汽车后备功率，影响了发动机的动力性，工作稳定性稍差。轿车上全部采用非独立式空调。

图1-7　大型客车

2. 按空调的控制方式不同分类

按空调控制方式的不同，汽车空调可分为手动空调、半自动空调和全自动空调。

（1）**手动空调** 手动空调只能手动对冷/热风的温度和风量进行粗略的分级调节，不能设定车内空调的具体温度。但由于其成本低廉，结构简单，因此大多数经济型轿车都采用旋钮式的手动空调，手动空调控制面板如图1-8所示。

（2）**半自动空调** 半自动空调与手动空

图1-8　手动空调控制面板

调主要的区别在于采用电动机和控制模块等取代手动旋钮,其操纵系统可根据驾驶人的设定工作,将空调温度控制在设定的值,但是风速还是手动调节的,半自动空调控制面板如图1-9所示。由于可以进行部分自动控制,成本也适中,因此在一些中档轿车上有装配。

(3) 全自动空调　全自动空调是利用传感器随时监测车内外温度的变化,并把检测到的信号送给空调的电子控制单元(ECU),ECU则按预先编制的程序对信号进行处理并通过执行元件不断地对鼓风机转速、出风速度、送风方式及压缩机工作状况等进行调节,从而使车内温度、空气湿度及流动状况始终保持在驾驶人设定的水平上,全自动空调控制面板如图1-10所示。目前在中高级轿车上都采用全自动空调。

图1-9　半自动空调控制面板

图1-10　全自动空调控制面板

3. 按空调温度可调节区域分类

按空调温度可调节区域的不同,汽车空调可分为单区空调、双区空调和四区空调。

(1) 单区空调　单区空调系统只能对整个车内进行整体的温度调节。经济型轿车装配的基本都是单区空调。

(2) 双区空调　双区空调系统是通过两个温度风门单独控制驾驶人侧和副驾驶人侧,使两侧的出风温度可以有差别,如图1-11所示。它一般在中、高级轿车上使用。

(3) 四区空调　四区空调系统可以对车内左前、右前、左后、右后四个区域进行单独的温度调节。由于成本高,因此只在部分高级轿车上配置。

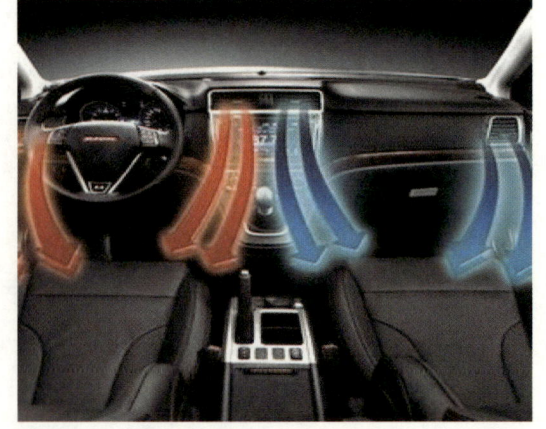

图1-11　双区空调

四、汽车空调的组成

汽车空调系统的基本结构在不同的车型上相差不大,通常由制冷系统、暖风系统、通风系统和控制系统四个子系统组成，如图1-12所示。这四个子系统共同作用就能实现对车内空气的调节。

1. 制冷系统

（1）作用 在炎热的夏天，坐在像烤炉一样的车内开车是十分辛苦的，这时如果能吹上凉爽的冷风是让人高兴的事情，同时也可以消除因过热而给驾驶人带来的疲倦和困意，提高驾驶安全性。图1-13所示为夏季车内的高温。

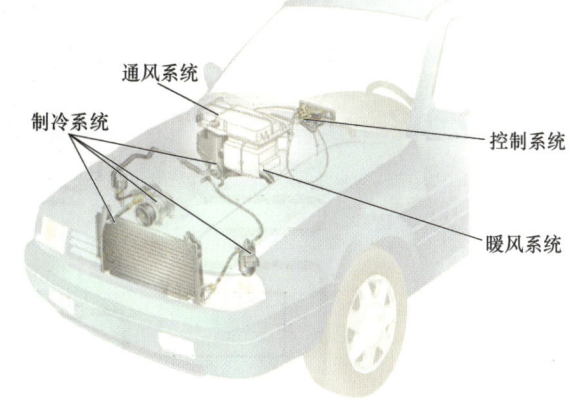

图1-12 汽车空调系统的组成

制冷系统的作用就是在夏季对车内空气或由外部进入车内的新鲜空气进行冷却、除湿，为车内提供冷气，使车厢内变得凉爽舒适。

（2）组成 制冷系统主要由压缩机、冷凝器、储液干燥器、膨胀阀和蒸发器等组成，它们之间由特制的橡胶软管和金属管路连接起来，形成一个封闭的制冷循环系统，如图1-14所示。

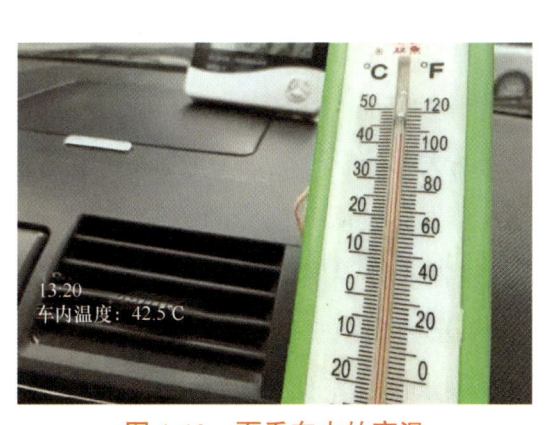

图1-13 夏季车内的高温

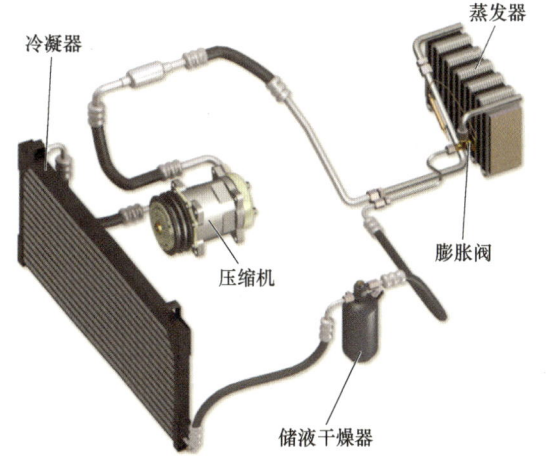

图1-14 制冷系统的组成

（3）工作原理 如想了解制冷系统的工作原理，首先需要掌握制冷剂在循环系统内的工作过程，压缩—冷凝—膨胀—蒸发，如图1-15所示。

1）压缩过程：压缩过程是由压缩机来实现的。压缩机是制冷循环系统中的动力来源，是制冷系统的"心脏"，它由发动机曲轴通过传动带驱动。压缩机工作时从蒸发器出口的低压回路吸入低温气态制冷剂，加压后经高压管送到冷凝器中进行冷却。当气态制冷剂被压缩时，其温度和压力会升高，压缩机入口处的制冷剂温度为0~3℃，压力约为200kPa，被压缩后其温度可达约80℃，压力约为1500kPa，此时制冷剂形态为高温、高压的气态。

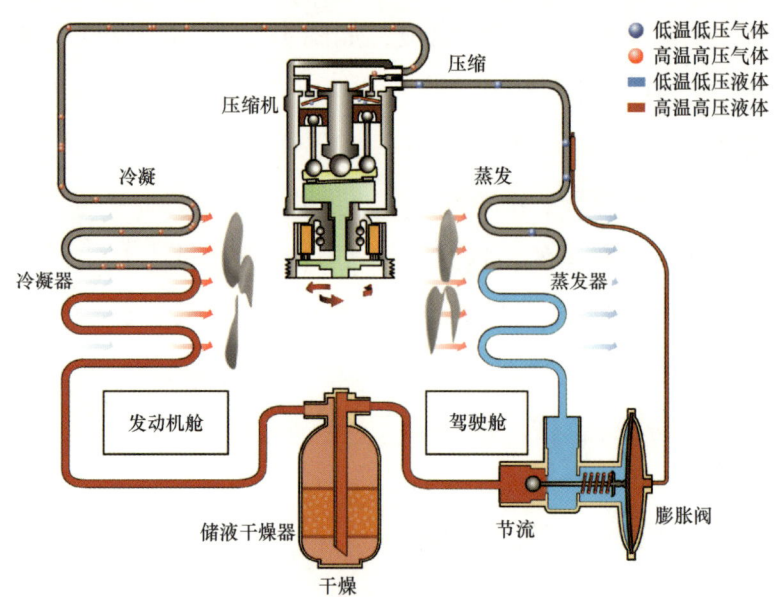

图1-15 制冷系统的工作原理图

2）冷凝过程：冷凝过程主要在冷凝器内实现，制冷剂在冷凝器释放热量，由气态变成液态。进入冷凝器中的气态制冷剂，在冷却风扇的作用下，经外部空气进行冷却，制冷剂由高温、高压气体转变为中温（约为50℃）、高压的液体。

3）膨胀过程：冷凝后的中温、高压液体制冷剂被送入节流元件（膨胀阀）。节流元件的进口空间小（即截面面积小），出口空间大（即截面面积大），具有节流降压作用。从节流元件出来的制冷剂所处的空间会迅速变大，压力和温度也随之降低。由于其压力已降低，沸点已经低于环境温度，部分液态制冷剂开始沸腾，由液态变为气态，吸收大量热量，使周围温度降低。但是，节流元件出口处的大部分制冷剂仍为液态（雾状）。

4）蒸发过程：经节流元件节流降压后，进入蒸发器的液态制冷剂实现汽化，通常称为蒸发过程。蒸发过程需要吸收热量，会使蒸发器表面温度下降，在鼓风机的作用下，空气不断流过低温的蒸发器表面，被冷却后再送进车厢内，达到制冷的目的。

在蒸发过程中，液态制冷剂经过蒸发器吸收热量汽化，变成低温、低压的气体。气态制冷剂又经蒸发器出口及低压管路回到压缩机，进入下一个制冷循环过程。

2. 暖风系统

（1）作用 暖风系统的作用就是对车内空气或进入车内的外部空气进行加热。现代汽车空调都是冷暖一体化的装置，用户可以通过操纵手柄设定热、冷风量的比例，将热、冷风混合成所需温度的风后再送入车内，并通过调节风速的高低选择合适的风量，满足人们对温度舒适性的要求，如图1-16所示。

（2）类型 不同的车型暖风系统的结构稍有

图1-16 暖风系统的作用

不同，但按照热源的不同可以分成余热式暖风系统和独立热源式暖风系统。

1）余热式暖风系统：它是利用发动机冷却液或排出废气的余热作为热源的暖风系统，其中利用发动机冷却液作为热源是轿车暖风系统采用的最普遍方式。

2）独立热源式暖风系统：它是装有专门燃烧装置的暖风系统，是通过燃料的燃烧产生大量的热量，再对车内供暖的方式，这种类型多用在客车和载货汽车上。

(3) 组成　利用发动机冷却液余热进行加热的暖风系统，它实际上是在冷却系统中并联安装一套散热器，如图1-17所示。它主要由出水管、热水阀、加热器芯和回水管等组成。其中热水阀在很多轿车中已经取消，加热器芯安装在车厢内的仪表板下。因此轿车暖风系统结构非常简单。

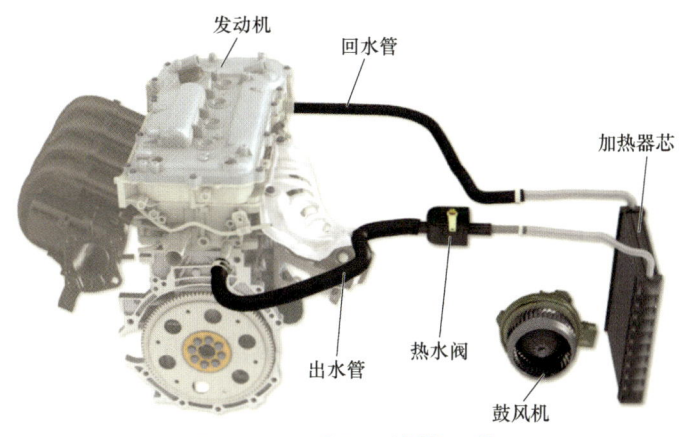

图 1-17　暖风系统的组成

(4) 工作原理　被发动机做功加热的冷却液在水泵的作用下循环至加热器芯，加热器芯的散热片吸收热量，此时鼓风机吹出空气穿过加热器芯的散热片，被散热片加热的温暖空气进入乘客舱，满足空调系统的制热需求，如图1-18所示。

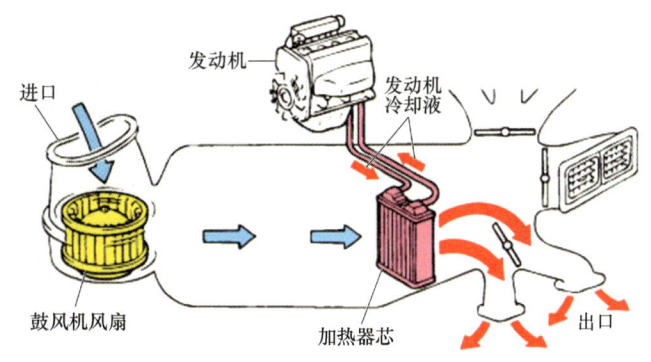

图 1-18　暖风系统的工作过程

个别车辆使用热水阀作为加热器芯本身的温度调节装置。热水阀可以控制通过加热器内部的冷却液流量，从而调节加热器芯本身的温度，而它的开启或关闭由驾驶人通过控制面板进行操作。热水阀通常安装在加热器芯的入口，一般通过机械拉索来控制。当热水阀开启时，发动机内的冷却液流入加热器芯；热水阀关闭时，冷却液就被阻止进入加热器芯。

3. 通风系统

（1）作用　如果长时间坐在密闭的车内，乘员会觉得胸闷，这是因为空气中缺氧造成的，此时应及时地打开车窗透透气。而当行驶在高速公路上或车外环境较差的路面上，不便开窗换气时，通过操纵通风系统，就能对车内进行换气。

通风系统的作用就是不断地将新鲜空气引入乘客舱内，并通过净化装置对空气进行清洁，以提高车内空气的清新度，如图1-19所示。

图1-19　车内通风换气

（2）组成　汽车空调系统中的空气流经一条曲折的通道，从进风口流动到出风口，然后被分配到整个乘客舱，这套管道系统多数是用模压塑料制成的，在通道上面配置鼓风机、滤清器和风门等部件，即组成了汽车空调的通风系统，如图1-20所示。

通风系统的风门有内外循环风门、温度调节风门和出风模式风门三个，出风口有仪表板出风口（脸部出风口）、脚部出风口和除霜出风口。目前，大多数车辆上的仪表板出风口已不是简单的出风口，而是设计成类似于百叶窗的装置，可以通过该装置调整气流方向，也可以关闭该出风口，如图1-21所示。

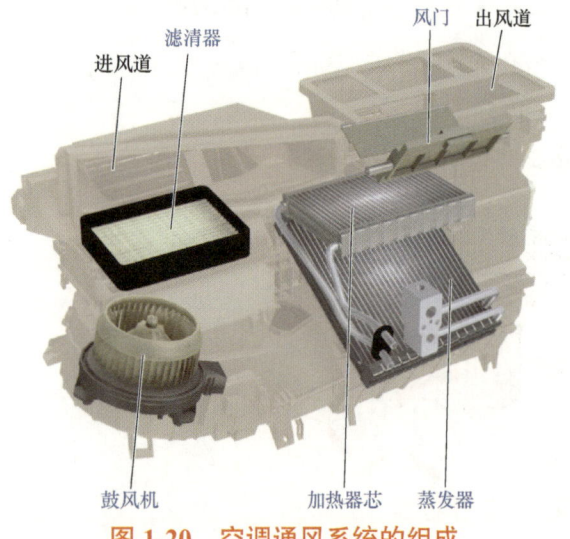

图1-20　空调通风系统的组成

图1-21　仪表板出风口

（3）工作过程　空调通风系统的工作过程如图1-22所示，当驾乘人员打开鼓风机开关时，鼓风机运行对乘客舱内进行强制送风，空气从内外循环空气入口被吸入，吸入的空气可通过内外循环风门选择从车内进入还是从车外进入。空气流经鼓风机后，先通过蒸发器，如果制冷系统正在运行，流经的空气还将被冷却。随后空气会被引导至温度调节风门，温度调节风门的位置决定空气是否通过加热器加热。被降温或加热的空气在出风模式风门的分配下可以从仪表板出风口、除霜出风口或脚部出风口等送到乘客舱内不同的位置，如图1-23所示。

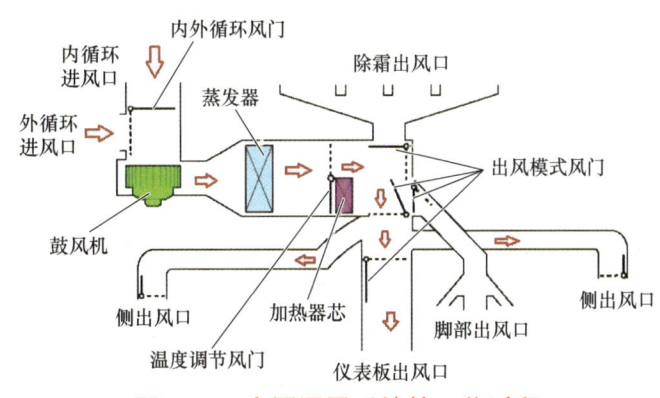

图1-22　空调通风系统的工作过程

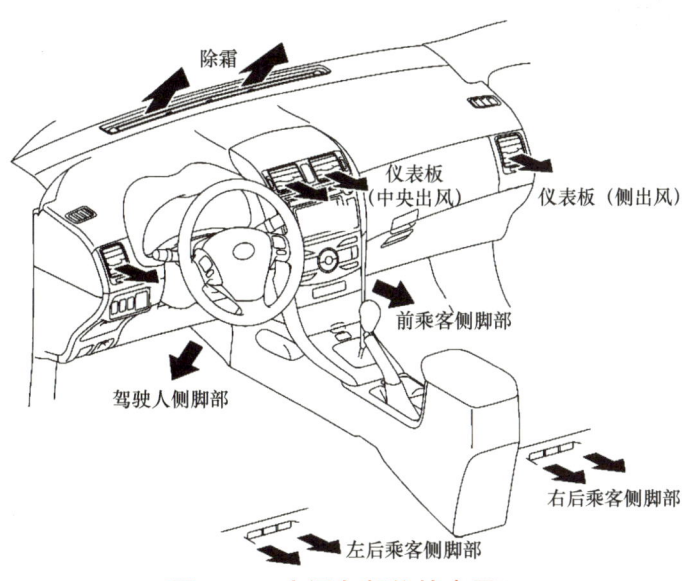

图1-23　空调各部位的出风口

如果鼓风机没有运行，在内外循环风门处于外循环位置时，车辆属于自然通风状态，空气流经分配系统进入车内，然后从车身后纵梁两侧围板的风口排出。因此，车辆在行进过程中，尽管没有开启空调也会在出风口有气流流出，这属于正常现象。

4. 控制系统

（1）作用　汽车空调控制系统的作用就是对制冷系统、暖风系统和通风系统进行综合控制，使其能正常工作并尽可能优化，从而维持车厢内所需的舒适性条件。

（2）组成　空调控制系统主要包括压缩机的控制、鼓风机的控制和风门的控制等。对驾驶人来说，主要就是通过空调操控面板对空调系统进行控制。图1-24所示为丰田卡罗拉手动空调操纵面板图,它主要由出风口选择、风量调节和温度调节三个旋钮,内/外循环切换、后窗除霜和空调开关三个按钮组成。

1)出风口选择旋钮:它可以将出风引向脸部、脸部与脚部、脚部、脚部与除霜、除霜五个位置。

2)风量调节旋钮:它有(0、1、2、3、4)五个位置,分别对应鼓风机的关闭、低速、中速、中高速、高速旋转,从而可以控制出风量从低到高。

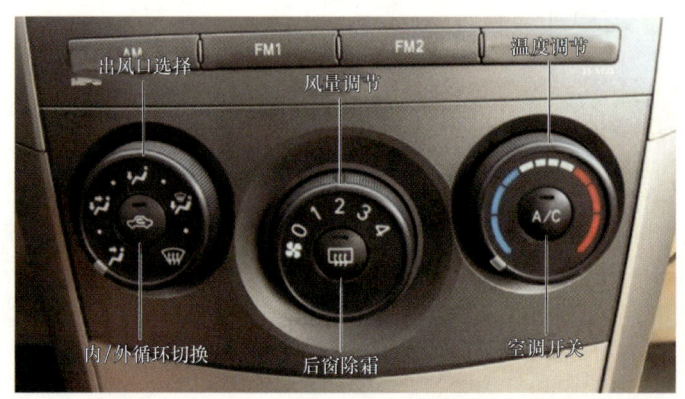

图 1-24 丰田卡罗拉手动空调操纵面板图

3)温度调节旋钮:它通过控制冷风和热风的比例来调节出风口的温度,当旋钮逆时针转到底为"最冷",顺时针转到底为"最热"。

4)内/外循环切换按钮:按下此开关,当开关指示灯点亮时为内循环(出风口吹出的风从车内吸入),开关指示灯不亮时为外循环(出风口吹出的风从车外吸入)。

5)后窗除霜按钮:按下此开关,开关指示灯会点亮,它通过控制单独的后窗加热电路对后窗风窗玻璃进行电加热而除雾。

6)空调开关按钮:也称为 A/C 开关,当鼓风机工作后,按下此开关时,开关指示灯点亮,压缩机工作;再次按下开关时,开关指示灯熄灭,压缩机停止工作。如果鼓风机不工作,按下此开关压缩机也不工作。

模块一 制冷暖风性能检查

| 制冷暖风性能检查 | 学习任务单 | 班级：
姓名： |

1. 地球上所有的物质都是以固体、_____或_____三种形态存在的。对于液态（水），若再对其输入足够的热量使其沸腾，它就会转变成_____。反之，水蒸气在密闭容器内，将其转移出足够的热量，则由气态转变为_____，再继续将其热量转移，液态即转变为固态。

2. 热量是变化的，当物质吸热或放热时，有时温度会发生变化，有时形态会发生变化，根据这些现象可将热量分为_____和_____两种形式。热的传递有热辐射、_____和_____三种方式。

3. 表示物体冷热程度的物理量是_____，用符号_____表示；表示空气中含有水蒸气的量的物理量是_____；作用在物体单位面积上的力称为_____，单位为_____。

4. 1MPa=_____kPa=_____bar。

5. 目前汽车空调系统中的制冷剂有 R12、R22 和_____三种。其中对环境比较友善，被称为环保冰种的是_____。

6. 冷冻机油在制冷系统中非常重要，作用有_____、_____、密封和降低压缩机噪声等_____。

7. 空调的作用具体包括_____、_____、通风（净化）等。

8. 汽车空调按控制方式可分为_____、半自动空调和_____；按压缩机的驱动方式不同可分为独立式空调和_____式空调。其中用专用空调发动机来驱动制冷压缩机的是_____式空调。

9. 汽车空调系统的基本结构在不同的车型上相差不大，通常由_____系统、_____系统、通风系统和_____系统四个子系统组成，这四个子系统共同作用就能实现对车内空气的调节。

10. 写出图中数字所指零件的名称。

1. _____ 2. _____ 3. _____
4. _____ 5. _____ 6. _____
7. _____ 8. _____ 9. _____
10. _____ 11. _____ 12. _____
13. _____

11. 下图是空调制冷循环系统，请根据制冷系统的工作原理写出下图中 A、B、C、D 四个位置制冷剂的压力、温度和状态。

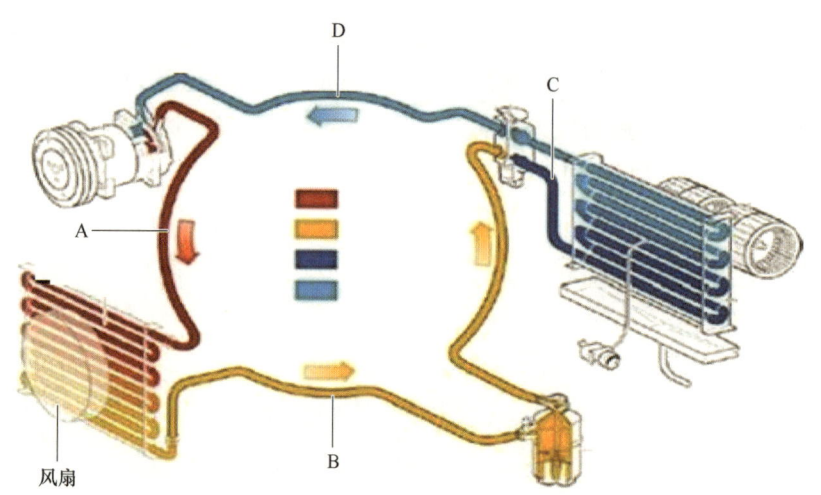

位置 A：压力：_____ 位置 B：压力：_____
温度：_____ 温度：_____
制冷剂状态：_____ 制冷剂状态：_____
位置 C：压力：_____ 位置 D：压力：_____
温度：_____ 温度：_____
制冷剂状态：_____ 制冷剂状态：_____

12. 下图是手动空调的控制面板，请写出图中数字所指旋钮或开关的名称。

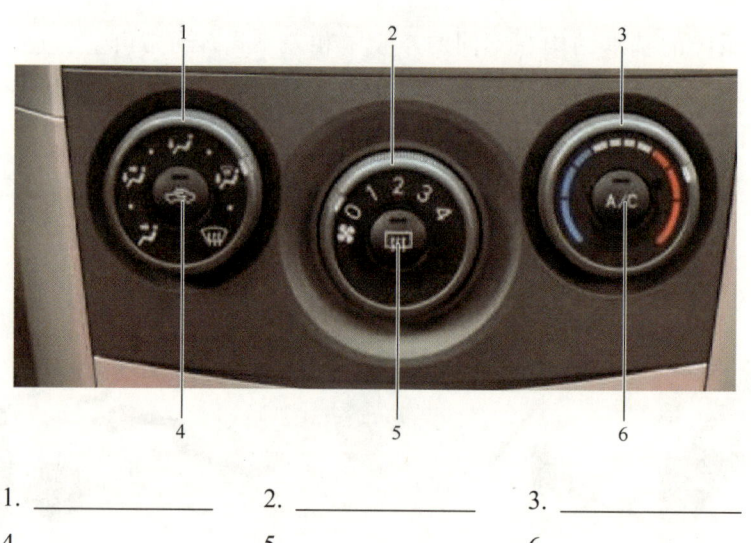

1. _____ 2. _____ 3. _____
4. _____ 5. _____ 6. _____

模块一　制冷暖风性能检查

实训任务　制冷暖风性能检查

实训器材

丰田卡罗拉轿车、温度计、干湿计、风速计、歧管压力表、电子检漏仪、荧光检漏设备、制冷剂鉴别仪、常用维修工具和维修手册等。

作业准备

车辆在工位停放周正，铺好车内和车外护套等。

操作步骤

一、在实车或实训台架上认知空调系统各部件

（1）**认知制冷系统各部件**　压缩机、冷凝器、储液干燥器、膨胀阀、蒸发器、高压管路、低压管路、高压检修阀、低压检修阀等。

（2）**认知暖风系统各部件**　回、出水管，加热器芯。

（3）**认知通风系统各部件**　鼓风机、空调滤清器、内外循环风门、仪表板出风口、脚部出风口、除霜出风口等。

（4）**认知控制系统各部件**　空调控制面板、压力开关或压力传感器、空调放大器等。

二、汽车空调的操作与基本检查

1. 鼓风机的操作与检查

1）起动发动机，将出风模式旋钮转至脸部模式。

2）旋转鼓风机开关到1档位置，用手感觉中央出风口和两侧的出风口应有微风吹出。

3）将鼓风机开关分别旋转到2、3、4档位置，用手感觉中央出风口和两侧的出风口风量应递增，且无异常噪声，如图1-25所示。

图1-25　鼓风机的操作与检查

2. 压缩机的操作与检查

1）起动发动机，打开鼓风机开关到任意档位。

2）按下A/C开关，开关指示灯应点亮，如图1-26所示。

3）到发动机舱查看压缩机电磁离合器应吸合或用手触摸高、低压管路应有明显

17

的温差，如图1-27所示。

图1-26　开关指示灯点亮

图1-27　感受温差

4）查看冷却风扇，应旋转，如图1-28所示。

3. 出风模式的操纵与检查（图1-29）

图1-28　检查冷却风扇

图1-29　出风模式的操纵与检查

1）起动发动机，打开鼓风机开关转到4档位置。

2）将出风模式旋钮转至脸部模式，用手感觉中央出风口和两侧的出风口应有较大的风量吹出。

3）将出风模式旋钮转至脚部模式，用手感觉前、后脚部出风口应有较大的风量吹出。

4）将出风模式旋钮转至除霜模式，用手感觉除霜出风口应有较大的风量吹出。

三、温度、湿度与风速的测量

1. 测量温度

1）起动发动机，打开鼓风机开关到4档位置，按下A/C开关，运行空调3~5min。

2）发动机转速保持在1500r/min左右，将温度调节旋钮转到最冷位置。

模块一　制冷暖风性能检查

3）用电子温度计测量中央出风口温度，如图 1-30 所示。

4）发动机转速保持在 1500r/min 左右，将温度调节旋钮转到最热位置。

5）再用电子温度计测量中央出风口温度，如图 1-31 所示。

图 1-30　测量中央出风口温度（一）

图 1-31　测量中央出风口温度（二）

2. 测量湿度

1）起动发动机，打开鼓风机开关到 4 档位置，按下 A/C 开关，运行空调 3~5min。

2）发动机转速保持在 1500r/min 左右，将温度调节旋钮转到最冷位置。

3）用干湿计测量中央出风口湿度，如图 1-32 所示。

3. 测量风速

1）起动发动机，打开鼓风机开关到 1 档位置。

2）用风速计测量中央出风口 1 档的风速。

3）将鼓风机开关分别开到 2、3、4 档位置，测量每个档位中央出风口的风速，如图 1-33 所示。

图 1-32　测量中央出风口湿度

图 1-33　测量风速

四、空调制冷系统压力的测量

1. 测量静态压力

1）检查歧管压力表高、低压表指针是否都在"零"位，关闭高、低压手阀，检

制冷系统压力测量

查高、低压软管是否老化、出现裂纹或损坏。

2）将高压软管快速接头连接到高压检修阀上。

3）将低压软管快速接头连接到低压检修阀上，如图1-34所示。

4）读取高、低压力表上的压力值，如图1-35所示。

图1-34 连接歧管压力表

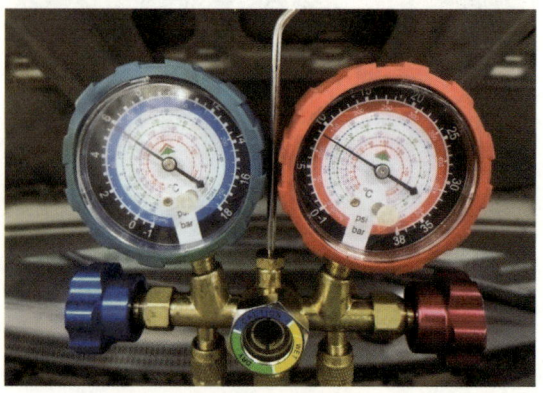

图1-35 读取压力值（一）

2. 测量动态压力

1）起动发动机，打开鼓风机开关到4档位置，按下A/C开关，发动机转速保持在1500r/min左右。

2）运行空调3~5min。

3）读取高、低压力表上的压力值，如图1-36所示。

五、制冷系统的检漏

1. 外观检漏（图1-37）

图1-36 读取压力值（二）

> **小提示**
>
> 　　制冷剂与冷冻机油是互溶的，所以当制冷剂泄漏时，在制冷循环系统泄漏处也会有油迹出现。可以通过目视或用手触摸来检查制冷系统部件表面是否存在油渍，以此判断是否存在泄漏情况。当然，制冷系统中不是所有存在油渍的区域都是泄漏点，也有可能是车辆的其他油液造成的污染，或曾经发生过泄漏，已经修复但未及时进行清洁处理的区域。

1）使用外部照明设备（手电筒或工作灯）查看压缩机表面与接头是否有油渍。

2）检查连接压缩机的低压管和高压管是否有油渍。

3）检查冷凝器表面和接头是否有油渍。

4）检查储液罐接头和压力开关是否有油渍。

5）检查膨胀阀接头是否有油渍。

2. 压力检漏（图 1-38）

> **小提示**
>
> 压力检漏法是在制冷系统没有制冷剂的情况下，将一定压力的氮气加入系统中，一般不允许打入压缩空气，因为压缩空气中含有较大的湿气。此方法通常用于制冷系统的制冷剂完全漏光时的检漏。

压力检漏（肥皂水检漏）

图 1-37　外观检漏

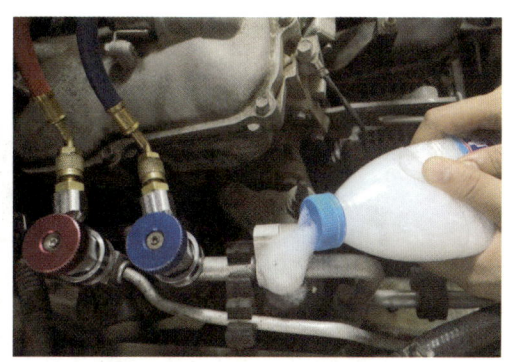

图 1-38　压力检漏

1）连接歧管压力表到高、低压检修阀，测量制冷系统是否还有制冷剂，如果还有制冷剂，需先回收制冷剂，再进行加压检漏。

2）向制冷系统中充入氮气，充至压力约 1000kPa。

3）拧紧歧管压力表高、低压手动阀，记录高、低压表数值，等待约 20min，如果压力出现下降，说明系统存在泄漏。

4）用水壶调制一定浓度的肥皂水，并摇晃，产生大量的泡沫。

5）将泡沫涂抹在制冷系统各部件的接头处，一边涂抹，一边查看，如果泄漏轻微，在泄漏的地方就会产生一个大气泡；如果泄漏严重，就会产生很多气泡，很容易发现和鉴别。

3. 电子检漏仪检漏

> **小提示**
>
> 由于制冷剂的密度大于空气，所以应在相关部件的下方进行泄漏检测。操作时，电子检漏仪探头距被测部件 3~5mm，并缓慢地环绕管道进行检测。

电子检漏仪检漏

1）关闭发动机。

2）安装歧管压力表，测量制冷系统是否还有制冷剂，测量静态（空调不工作）压力，压力必须高于350kPa。如果压力不足，则需要添加制冷剂，否则无法进行电子检漏仪检漏。

3）拆下歧管压力表。

4）用抹布清洁即将要检查的部位。

5）按下检漏仪电源键，此时检漏仪发出均匀的"嘀、嘀"声，再用检漏仪探头依次围绕压缩机前端（轴封）和接头，冷凝器表面、下方和接头，储液罐接头和压力开关，膨胀阀接头，连接管路的软管与硬管连接处和管接头，高、低压检修阀等。如果发现泄漏点，检漏仪的"嘀、嘀"声频率会加快，而且越接近泄漏部位，频率会越来越高，如图1-39所示。

a)　　　　　　　　　　　　b)

图1-39　电子检漏仪检漏

6）按照上述顺序，检查两次以上。

4. 荧光剂检漏

荧光剂检漏

> **小提示**
>
> 荧光剂检漏操作的配套工具包括紫外线灯、有色眼镜和荧光剂加注器等。将荧光剂注入制冷系统中，如果制冷系统存在泄漏，荧光剂在紫外线照射下呈现黄绿色，有无荧光物质是判断是否泄漏的主要依据。直接观看紫外线会伤害眼睛，所以在检查过程中一定要佩戴有色眼镜来完成操作。

1）首先安装歧管压力表，测量制冷系统是否还有制冷剂，测量静态（空调不工作）压力，压力必须高于350kPa，然后拆下歧管压力表。

2）将一瓶空调荧光剂倒入加注器中。

3）将荧光剂加注器连接到低压检修阀上，如图1-40所示。

4）起动发动机，打开空调 A/C 开关和鼓风机开关。

5）在空调工作（压缩机运转）时，通过低压检修阀，注射一瓶荧光剂到制冷系统中。

6）发动机保持运转，从低压检修阀上拆下荧光剂加注器。

7）空调系统继续运转至少 20min，使荧光剂与制冷剂充分混合。由于泄漏量大小不同，荧光剂至少 15min 或多达 7 天时间才能显现。

8）戴上有色眼镜，将紫外线灯电源插头分别夹到蓄电池正、负极接柱上。

9）按下紫外线灯开关，依次照射制冷系统部件、接头和管路，如有泄漏，将在泄漏点呈现明亮的绿色、黄色区，如图 1-41 所示。

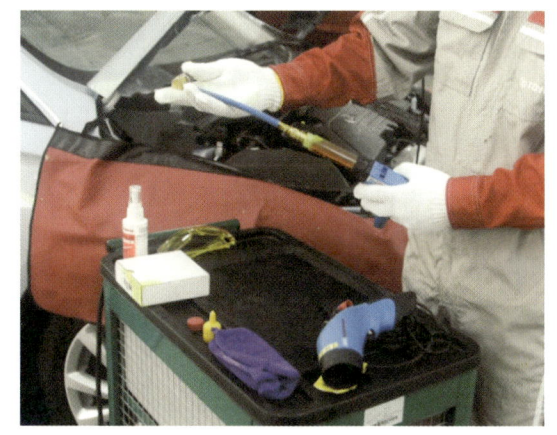

图 1-40　连接荧光剂加注器　　　　图 1-41　检漏

10）如果没有发现泄漏点，有可能是因为泄漏量非常少，需要更长的运行时间才能出现。

5. 真空检漏

真空检漏法通常只用来判断系统是否存在泄漏，而要检查具体泄漏部位还要辅以其他几种检漏方法。

1）将歧管压力表的高、低压接头连接到制冷系统高、低压检修阀上，如图 1-42 所示。

2）查看高、低压表指针，确保制冷系统没有制冷剂。

3）将歧管压力表中间软管连接到真空泵吸气口上。

4）打开歧管压力表的高、低压阀，连接真空泵电源插头，并打开开关。

5）观察低压表上的真空表部分，直到指针偏摆到 –80~100kPa，如图 1-43 所示。

6）关闭歧管压力表的高、低压阀，关闭真空泵。

7）等待不少于 60min，如果表针没有变化，说明系统没有泄漏；如果表针回升，说明系统存在泄漏。

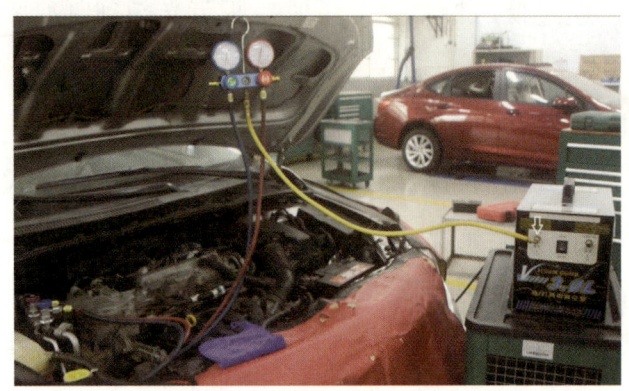

图 1-42 连接歧管压力表

图 1-43 观察压力表读数

制冷剂成分鉴别

六、制冷剂纯度的检测

> **小提示**
>
> 在制冷剂回收之前，应先对制冷剂的成分进行鉴别，只有当 R134a 的成分分数大于 96% 时才能回收再利用，否则只能排空或回收到废气罐中。

1) 检查鉴别仪的过滤器是否严重脏污，若是，则应更换鉴别仪过滤器。

2) 连接鉴别仪电源，鉴别仪自动开机并预热（约 2min），此时鉴别仪上亮红色的指示灯。

3) 检查鉴别仪连接软管是否出现裂纹或其他损坏。

4) 预热结束后，鉴别仪内部的吸气泵会发出"嗡嗡"的工作声，待工作声停止后且指示灯显示为绿色时，将鉴别仪连接软管的一端先连接到鉴别仪吸气口上，如图 1-44 所示，另一端再连接到高压检修阀上。

5) 查看鉴别仪上的压力表是否达到 15psi 以上的压力，如果未达到，可能是管路连接不到位或制冷系统中制冷剂严重不足。

6) 如压力表指示达到 15psi 以上，按下鉴别仪上的 B 键，进入鉴别分析。

7) 等待 4~10s，鉴别仪显示屏上显示制冷剂的成分，显示的有 R134a、R12、R22、HC（碳氢）、AIR（空气）5 个成分的体积分数，如图 1-45 所示。

8) 分别记录制冷剂各成分值，确认是否能够回收。

9) 按下鉴别仪上的 B 键，退出检测，先取下鉴别仪软管在高压侧检修阀上的接头，再拧下鉴别仪上的接头。

10) 拔下鉴别仪电源插头，回收鉴别仪。

模块一　制冷暖风性能检查

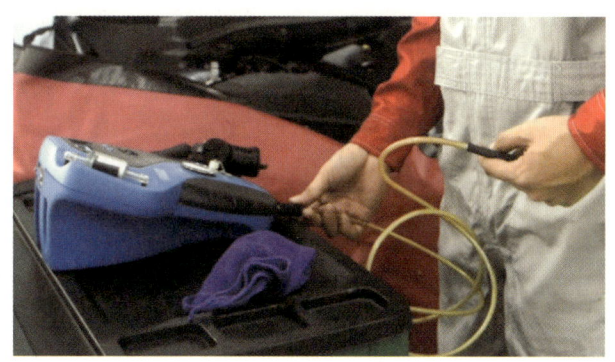

图 1-44　连接鉴别仪软管

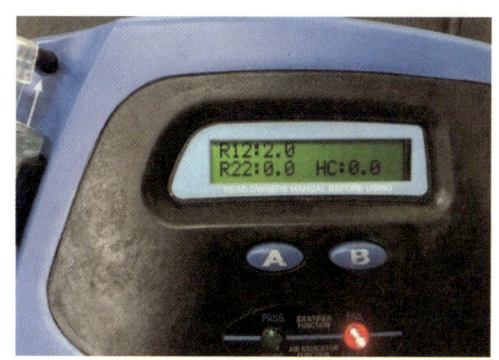

图 1-45　成分显示

实训任务总结：_____

制冷暖风性能检查		工作任务单		班级：	
				姓名：	

1. 记录车辆信息

品牌		整车型号		生产年月	
发动机型号		发动机排量		行驶里程	
车辆识别代号					

2. 汽车空调操作与基本检查

检查项目	检测数据	检查项目	记　　录
鼓风机 1 档风速		压缩机工作情况	
鼓风机 2 档风速		冷却风扇工作情况	
鼓风机 3 档风速		出风模式情况	
鼓风机 4 档风速		内外循环情况	

3. 检查制冷系统性能（空调开至最冷状态）

检查项目	检测数据	检查项目	检测数据
室外环境温度		左出风口风速	
室外环境湿度		中间出风口风速	
室内中间出风口温度		右出风口风速	
室内中间出风口湿度		进气口风速	
静态空调管路压力		动态空调管路压力	

4. 检查制冷剂的泄漏

采用的检漏方法				
泄漏位置	1	2	3	4

5. 检测制冷剂纯度

检测制冷剂纯度	海拔设定：
	纯度检测结果：
	检测结果判断：

6. 查询维修手册

序号	部件名称	章节及页码	规格（公制）
1		章　　　　　页	
2		章　　　　　页	
3		章　　　　　页	

模块一　制冷暖风性能检查

制冷暖风性能检查			实习日期：		
姓名：	班级：		学号：		
自评：□熟练　□不熟练	互评：□熟练　□不熟练		师评：□合格　□不合格		导师签名：
日期：	日期：		日期：		

制冷暖风性能检查【评分细则】

序号	评分项	得分条件	分值	评分要求	自评	互评	师评
1	安全/7S/态度	□1. 能进行工位 7S 操作 □2. 能进行设备和工具安全检查 □3. 能进行车辆安全防护操作 □4. 能进行工具清洁、校准、存放操作 □5. 能进行三不落地操作	15	未完成项，每项扣 3 分	□熟练 □不熟练	□熟练 □不熟练	□合格 □不合格
2	专业技能能力	作业 1 □1. 能正确地检查鼓风机档位工作情况 □2. 能正确地检查压缩机工作情况 □3. 能正确地检查冷却风扇工作情况 □4. 能正确地检查出风模式功能 □5. 能正确地检查内外循环功能 □6. 能正确地检查室外温度、湿度 □7. 能正确地检查出风口温度、湿度 □8. 能正确地检测各出口风速 □9. 能正确地检测静态管路压力 □10. 能正确地检测动态管路压力 作业 2 □1. 能正确地检测制冷剂泄漏 □2. 能正确地判定制冷剂泄漏位置 □3. 能正确地检测制冷剂纯度 □4. 能正确地判定纯度检测结果	50	未完成项，每项扣 4 分，扣分不得超过 50 分	□熟练 □不熟练	□熟练 □不熟练	□合格 □不合格
3	工具及设备的使用能力	□1. 能正确地选用维修工具 □2. 能正确地使用维修工具 □3. 能正确地使用纯度鉴别仪 □4. 能正确地使用歧管压力表 □5. 能正确地使用检漏设备	10	未完成项，每项扣 2 分	□熟练 □不熟练	□熟练 □不熟练	□合格 □不合格
4	资料、信息的查询能力	□1. 能正确地使用维修手册查询资料 □2. 能正确地记录查询资料章节及页码 □3. 能正确地记录所需维修信息	10	未完成项，每项扣 3 分	□熟练 □不熟练	□熟练 □不熟练	□合格 □不合格
5	数据判断和分析能力	□1. 能判断面板功能是否正常 □2. 能判断空调系统工作是否正常 □3. 能判断空调管路是否泄漏 □4. 能判断/分析制冷剂纯度	10	未完成项，每项扣 3 分，扣分不得超过 10 分	□熟练 □不熟练	□熟练 □不熟练	□合格 □不合格
6	表单填写与报告的撰写能力	□1. 字迹清晰 □2. 语句通顺 □3. 无错别字 □4. 无涂改 □5. 无抄袭	5	未完成项，每项扣 1 分	□熟练 □不熟练	□熟练 □不熟练	□合格 □不合格
总分：							

模块二

制冷系统的检查与维护

学习目标

知识目标

1）掌握空调制冷系统各部件的作用、组成及工作过程。

2）掌握变排量压缩机的工作原理。

技能目标

1）会实车拆装空调制冷系统各部件。

2）会使用歧管压力表对空调制冷系统进行抽真空与加注冰种操作。

3）会使用回收加注机对空调制冷系统进行回收与加注作业。

素养目标

1）能够在工作过程中与小组其他成员合作、交流，养成团队合作意识，锻炼沟通能力。

2）养成7S的工作习惯。

3）养成服从管理、规范作业的良好工作习惯。

任务描述

一辆丰田卡罗拉轿车用户反映：空调制冷效果不佳，需要对该系统进行检查，确定故障部位并进行修理。

相关知识

制冷系统是汽车空调的核心部分，其工作效率决定空调的性能。它主要由压缩机、冷凝器、干燥滤清器、膨胀阀、蒸发器和连接管路等组成。

一、压缩机

1. 作用

空调压缩机是制冷系统的心脏，其作用是吸入来自蒸发器的低温、低压气态制冷剂，将其压缩成高温、高压状态后送往冷凝器，保证制冷剂在系统中循环流动。

模块二 制冷系统的检查与维护

汽车空调系统中的压缩机通常使用铝合金材料制造,不但可以减轻重量,而且散热良好。

绝大多数的空调压缩机由发动机传动带驱动(节能与新能源汽车中的空调压缩机除外),传统的固定排量压缩机由电磁离合器控制其工作,但近几年广泛使用的可变排量压缩机则可以自动调节其排量,以适应系统的不同需求。

2. 压缩机的类型

压缩机的分类形式有多种,按照其结构区分,压缩机可分为往复活塞式和旋转式两种类型,如图 2-1 所示。其中往复活塞式压缩机主要有曲轴连杆式、斜盘式和摇板式三种类型。旋转式压缩机主要有旋转叶片式、涡旋式、螺杆式和转子式等类型,由于螺杆式和转子式在汽车空调系统中采用相对较少,本书只对前两种类型进行介绍。

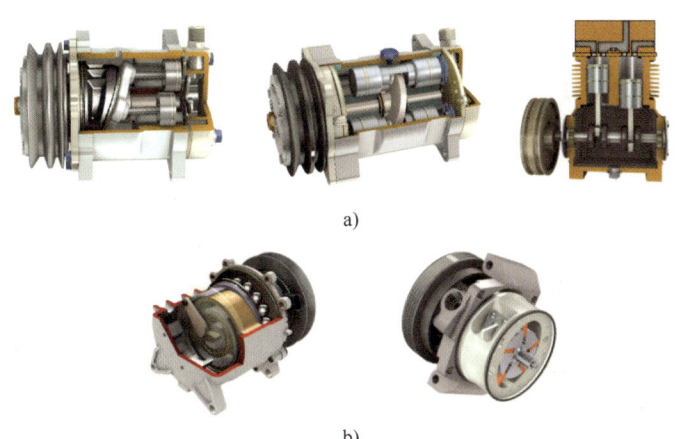

图 2-1 往复活塞式与旋转式压缩机
a)往复活塞式 b)旋转式

目前,车辆上使用的压缩机大多数是往复活塞式的,但是往复活塞式压缩机有一个很大的缺点,就是存在惯性负荷。当活塞高速运动到上下止点后需要停顿并换向,这势必会产生振动,同时在运动部件上产生很大的应力。

随着技术的不断发展,旋转式压缩机在汽车上使用得越来越多。由于旋转式压缩机仅有转动泵组件或转子部件在偏心轨道上运动,这样就会很好地减小压缩机的振动和噪声,并且压缩机的体积和质量也会减小,可以更紧凑和方便地安装。

压缩机按照排量是否可变区分,可分为定排量式和可变排量式两种,如图 2-2 所示。

图 2-2 定排量式与可变排量式压缩机
a)定排量式 b)可变排量式

29

其中可变排量式压缩机在新型轿车中应用得越来越广泛。

3. 曲轴连杆式压缩机的结构与工作原理

曲轴连杆式压缩机目前在小型车上已基本淘汰，但由于其体积大和排量大等结构特点，目前在部分大型客车和载货汽车上仍然被广泛采用。这种压缩机的结构与发动机曲柄连杆机构相似，由连杆机构驱动活塞往复运动。该类压缩机通常采用双缸结构，其具体结构及工作原理图如图 2-3 所示。当曲轴带动活塞下行时，气缸容积增大，产生吸力并打开进气阀片吸入气态制冷剂；当活塞上行时，气缸容积减小，压缩气态制冷剂并推开排气阀片，排出高压气态制冷剂。

4. 斜盘式压缩机的结构与工作原理

斜盘式压缩机是一种轴向往复活塞式压缩机，它由离合器、主轴、斜盘、活塞、进气阀片和排气阀片等零件组成，如图 2-4 所示。

图 2-3　曲轴连杆式压缩机的
　　　　　结构及工作原理图

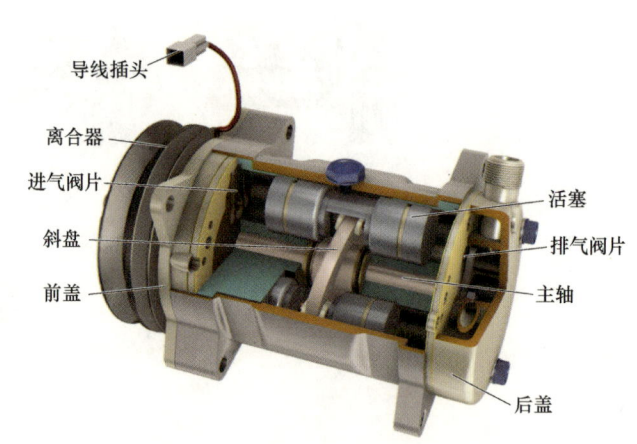

图 2-4　斜盘式压缩机的结构

斜盘式压缩机通常以主轴为中心，在其圆周布置若干个气缸及双向活塞，每个气缸两头都有进气阀和排气阀，当主轴旋转时，斜盘也随着旋转，同时驱动所有的活塞做轴向往复运动，当活塞向右运动时，活塞右侧的空间缩小，制冷剂被压缩，压力升高，打开排气阀，制冷剂排出，如图 2-5 所示；与此同时，活塞左侧空间增大，压力减小，吸引进气阀打开，制冷剂进入气缸。当主轴旋转一周，所有的活塞各自完成一次进气及压缩过程。

5. 摇板式压缩机的结构与工作原理

摇板式压缩机与斜盘式压缩机同属于轴向往复活塞式压缩机，它们的不同点是斜盘式压缩机的活塞运动属于双向作用式，而摇板式压缩机的活塞运动属于单向作用式，如图 2-6 所示，摇板式压缩机的气缸以压缩机的轴线为中心均匀分布，连杆连接活塞与摆盘；主轴和楔形传动板连接在一起，楔形传动板驱动摆盘，摆盘中心用钢球做支承，并用两个固定的锥齿轮限制摆盘只能摇动而不能转动。

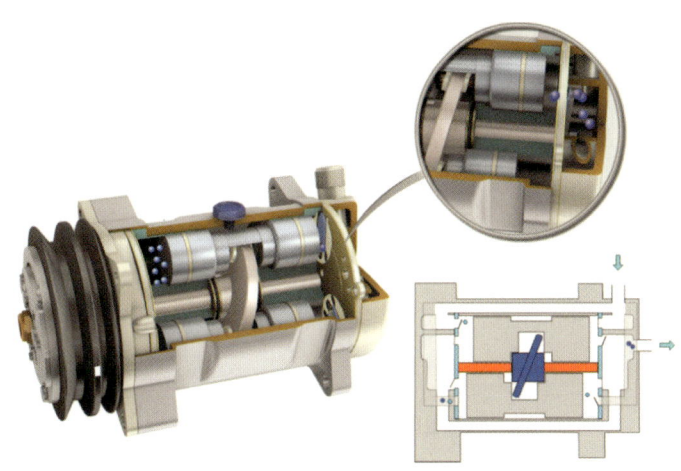

图 2-5　斜盘式压缩机的工作原理图

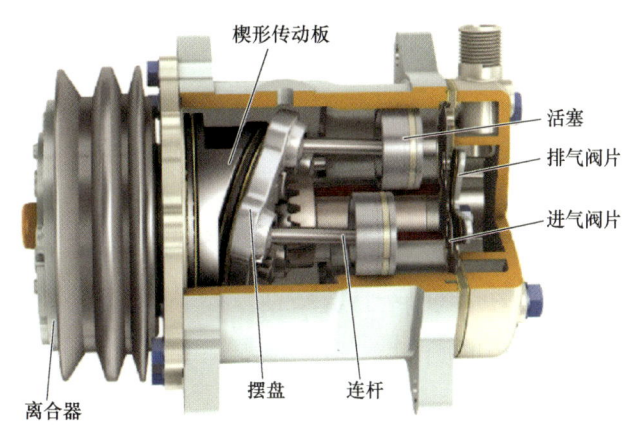

图 2-6　摇板式压缩机的结构

如图 2-7 所示，压缩机工作时，主轴带动楔形传动板旋转。由于楔形传动板的转动，迫使摆盘以钢球为中心进行摇摆移动。摆盘和楔形传动板之间有滚针轴承，变滑动摩擦为滚动摩擦，但仍有一定的摩擦阻力，在摩擦力的作用下，摆盘有转动的趋势，这种趋势被一对锥齿轮限制，使得摆盘只能进行摆动，并带动活塞在气缸中做往复运动。当活塞向左移动时空间增大，压力减小，吸引进气阀开启，吸入制冷剂到气缸；当活塞向右运动时，空间减小，制冷剂被压缩，压力升高，打开排气阀，制冷剂被压出。

6. 旋转叶片式压缩机的结构与工作原理

图 2-8 所示为旋转叶片式压缩机（简称为旋叶式压缩机），它的容积效率比往复活塞式压缩机高得多，近 10 多年来，已被广泛应用于汽车空调系统中。

旋转叶片式压缩机由转子、叶片、阀片组和前后端盖等组成，如图 2-9 所示。

图 2-7 摇板式压缩机的工作原理图

图 2-8 旋转叶片式压缩机

图 2-9 旋转叶片式压缩机的结构

旋转叶片式压缩机的气缸形状有圆形和椭圆形两种。在圆形气缸中，转子的主轴与气缸的圆心有一个偏心距，使转子紧贴在气缸内表面的吸、排气孔之间，而在椭圆形气缸中，转子的主轴和椭圆中心重合。转子上的叶片将气缸分成几个腔室，当主轴带动转子旋转一周时，这些腔室的容积不断改变，使气态制冷剂被压缩，如图2-10所示。旋转叶片式压缩机没有吸气阀，因为叶片就能完成吸入和压缩制冷剂的任务。如果有两片叶片，则主轴旋转一周有两次排气过程，叶片越多，压缩机的排气波动就越小。

7. 涡旋式压缩机

涡旋式压缩机可以称为新一代压缩机，

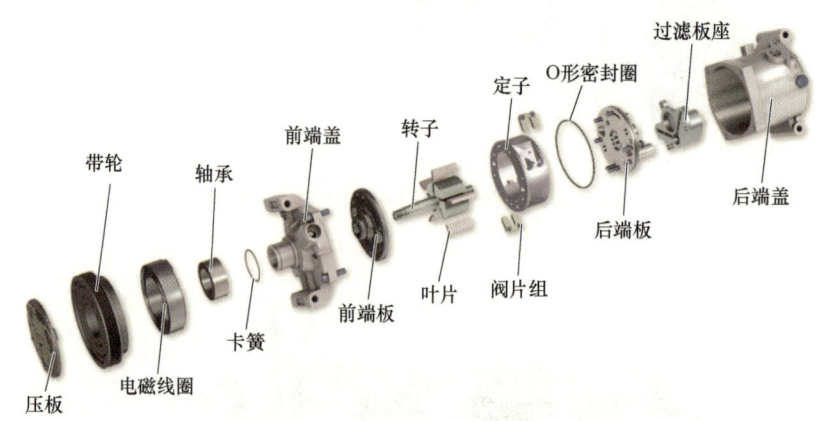

图 2-10 旋转叶片式压缩机的工作原理图

其结构主要由动涡旋体与静涡旋体组成，如图2-11所示。动、静涡旋体的结构十分相似，都是由端板和由端板上伸出的渐开线型涡卷组成的，两者偏心配置并且相差180°，静涡旋体静止不动，而动涡旋体在专门机构的约束下，由曲轴带动做偏心回转运动。

模块二 制冷系统的检查与维护

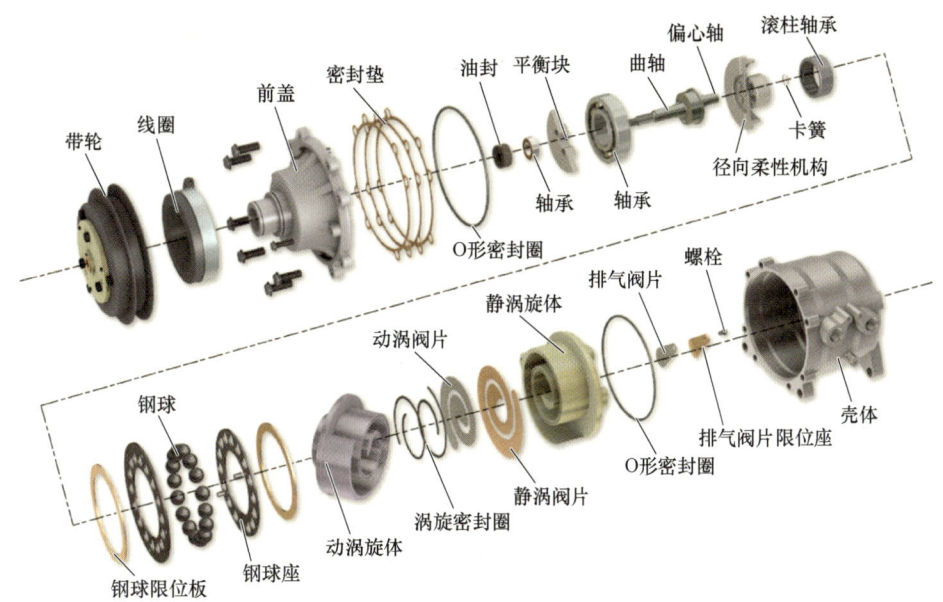

图 2-11 涡旋式压缩机的结构

涡旋式压缩机的工作原理图如图 2-12 所示。当压缩机旋转时，动涡旋体相对于静涡旋体运动，使两者之间的月牙形空间的容积和位置都在发生变化，容积在外部进气口处大，在中心排气口处小。进气口容积增大使制冷剂吸入，当到达中心排气口部位时，容积缩小，制冷剂被压缩排出。

涡旋式压缩机具有很多优点，例如压缩机体积小、重量轻。因为没有了吸气阀和排气阀，涡旋式压缩机运转可靠，气体泄漏量少，容积效率高。

图 2-12 涡旋式压缩机的工作原理图

8. 电磁离合器

压缩机由发动机曲轴通过传动带驱动，电磁离合器就安装在它们之间，其作用是控制发动机与压缩机的动力传递，当需要空调制冷系统工作时，电磁离合器接合，使发动机能驱动压缩机运转；当需要制冷系统停止运行时，电磁离合器分离，切断发动机到压缩机的动力传递。

压缩机电磁离合器的结构如图 2-13 所示，其主要部件有压板、带轮、电磁线圈和轴承等。

带轮由发动机曲轴通过传动带驱动，只要发动机运转，带轮就运转。当空调制冷系统不工作时，压板与带轮之间保持微小的间隙，如图 2-14a 所示，此时带轮空转，而电磁离合器压板不转，即电磁离合器分离，与压板连为一体的空调压缩机主轴也不转，空调压缩机不工作。当启动制冷系统时，电磁离合器继电器线圈通电，吸引触点结合，电磁线圈通电产生磁场，在磁场力的作用下，压板被吸引与带轮结合在一起，如图2-14b所示，压板与压缩机主轴随带轮一起旋转，即电磁离合器接合，此时空调压缩机开始工作。

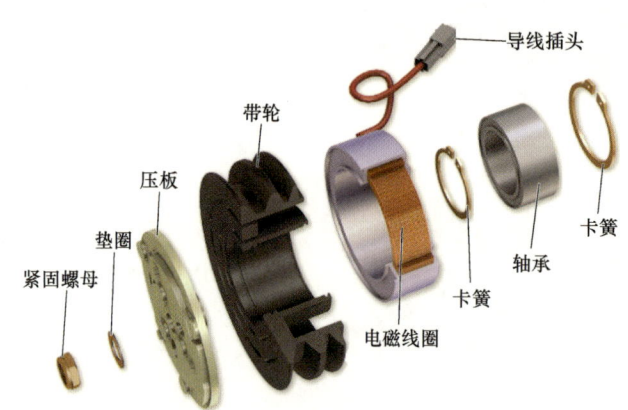

图 2-13　压缩机电磁离合器的结构

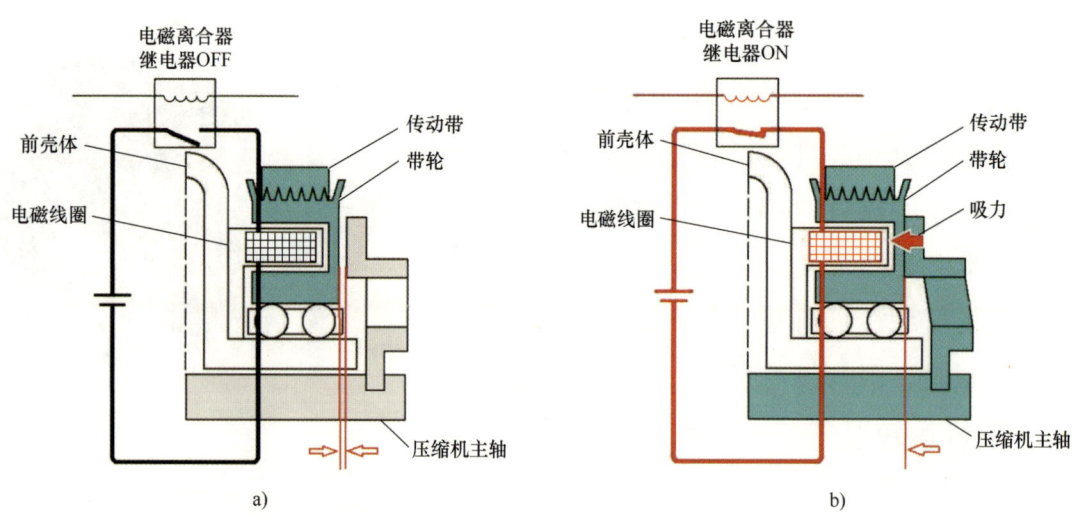

图 2-14　电磁离合器的工作原理图

a）未通电时　b）通电时

9. 可变排量式压缩机

安装定排量式压缩机的空调制冷系统为了防止蒸发器温度过低，会根据制冷负荷的变化经常性地控制电磁离合器接合与分离，这样就容易造成发动机运行不平稳，功耗有损失，压缩机进排气压力波动大，出风口温度变化大等。为了改善这些影响，许多新款车型采用了可变排量式压缩机。在制冷系统工作时，可变排量式压缩机的主轴一直处于旋转状态，它可根据制冷负荷及发动机转速等参数，在一定范围内连续平稳地改变排量，从而实现制冷系统流量的调节。

（1）结构　可变排量式压缩机是在摇板式固定排量式压缩机上取消电磁离合器

压板与电磁线圈，增加一个电控调节阀，如图 2-15 所示，调节阀受空调 ECU 占空比信号的控制。斜盘腔与吸气通道相连，调节阀安装在吸气通道（低压）和排放通道（高压）之间。

图 2-15 可变排量式压缩机

（2）工作原理　当空调 ECU 控制调节阀的电磁线圈通电时，调节阀闭合，此时在吸气侧与排放侧会产生一个压差，斜盘室内的压力降低。然后，作用在活塞右侧的压力将高于作用在活塞左侧的压力。这样就会压缩弹簧并倾斜摇板，如图 2-16 所示。因此，活塞行程增加，排量增加。

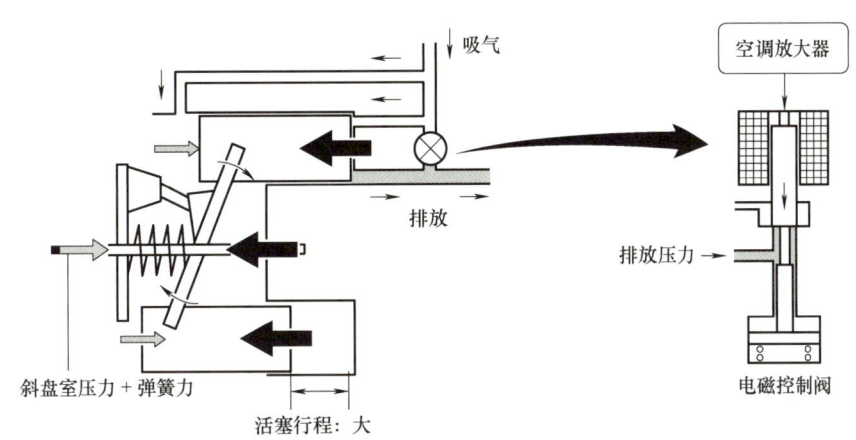

图 2-16 可变排量式压缩机的工作原理（调节阀通电时）图

当空调 ECU 控制调节阀的电磁线圈断电时，调节阀在下端弹簧的作用下上移，连通吸气侧与排放侧，压差消失。然后，作用在活塞左侧的压力将变得与作用在活塞右侧的压力相同，如图 2-17 所示。因此，弹簧伸长且消除摇板的倾斜。因此，活塞行程变小，排量减少。

因此，空调 ECU 通过改变占空比，就可改变调节阀的开度大小，从而改变活塞左、右两侧压力差的大小，再改变摇板倾斜的角度，从而可以连续地改变排量的大小。

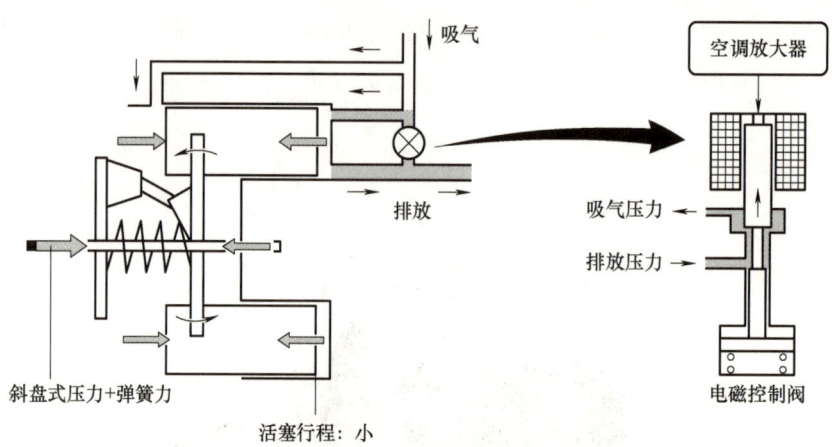

图 2-17　可变排量式压缩机的工作原理（调节阀不通电时）图

二、冷凝器

1. 作用

冷凝器的作用是将压缩机排出的高温、高压气态制冷剂进行冷却使之凝结为液体。冷凝器一般安装在散热器的前面，利用发动机冷却风扇将制冷剂放出的热量传送到空气中。

2. 结构与类型

冷凝器上有制冷剂管路、散热翅片、入口和出口，将管路和翅片设计成尽可能大的表面积，以增强散热效果。

根据冷凝器结构形式的不同，冷凝器可分为平行流动式、管带式和圆管式，如图 2-18 所示，其中平行流动式由于散热效果好，工作可靠，目前在轿车上应用得越来越多。

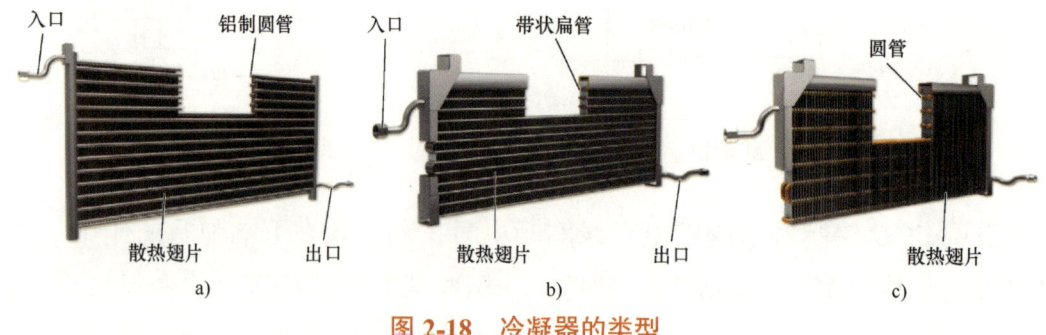

图 2-18　冷凝器的类型

a）平行流动式　b）管带式　c）圆管式

3. 工作过程

经压缩机压缩后的高温、高压气态制冷剂，从冷凝器顶端的入口进入冷凝器内部螺旋状管路，高温制冷剂将热量传递给冷凝器的管路和散热翅片，发动机冷却风扇运转，促使周围的空气对管路和散热翅片进行冷却，制冷剂释放潜热后凝结成液态，如图 2-19 所示。从冷凝器底部出口流出的制冷剂为高压、中温液态。

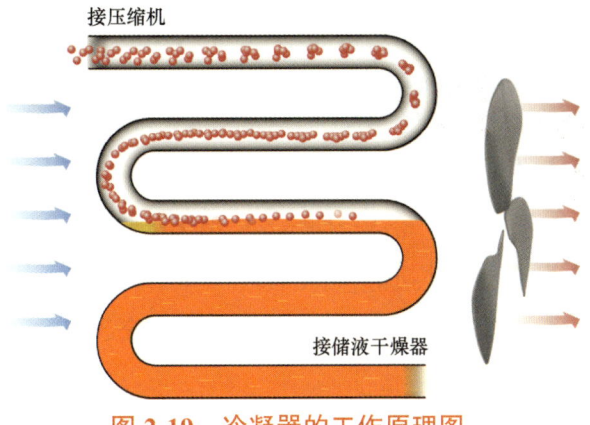

图 2-19　冷凝器的工作原理图

三、干燥滤清器

干燥滤清器的作用是过滤制冷剂中的杂质，同时用干燥剂去除系统中的湿气。另外，干燥滤清器还可以临时储存循环系统中的液态制冷剂和冷冻机油。对应膨胀阀和节流管两种不同类型的空调系统，干燥滤清器分为储液干燥器和气液分离器两种类型。

1. 储液干燥器

储液干燥器用于装有膨胀阀的空调系统中，位于冷凝器和膨胀阀之间的高压侧。它包括储存瓶、过滤网、干燥剂和输液管，在部分车辆上，储液干燥器上设置视液口（观察窗）和压力开关，如图 2-20 所示。其中储存瓶用来储存液态制冷剂；过滤网用来去除冷冻机油和制冷剂中的杂质；干燥剂用来除去系统中的湿气；输液管的入口在储存瓶的底部，确保只有液态制冷剂才能离开储液干燥器。

在正常的工作过程中，从冷凝器流过来的中温、高压制冷剂从入口流到储液干燥器的顶部。制冷剂中的湿气被干燥剂吸除后，再通过过滤网去除杂质，液态的制冷剂通过输液管排出，而少量气态的制冷剂停留在储液干燥器的顶部，可以继续冷凝变成液态的制冷剂，如图 2-21 所示。

2. 气液分离器

气液分离器也是一个制冷剂储存瓶，它主要是把气态与液态制冷剂分离开，同时过滤冷冻机油。气液分离器与储液干燥器的不同之处在于，它位于蒸发器出口与压缩机入口之间的低压侧管路上，只有气态制冷剂才能从气液分离器的顶部排出，而液态的制冷剂被收集在分离器的底部，这就能防止液态制冷剂进入压缩机，防止压缩机液击。气液分离器多使用在装有固定孔管节流装置的制冷系统中。

图 2-20 储液干燥器的结构　　图 2-21 储液干燥器的工作过程图

四、节流元件

节流元件也称为节流降压装置,它是制冷系统高压侧与低压侧的分界点,通常安装在冷凝器和蒸发器之间的液体管路上或蒸发器的入口处,如图 2-22 所示。其作用是在制冷剂进入蒸发器前,强迫其通过一个小的节流孔,把高压液态的制冷剂转变为低压液态的制冷剂。低压的制冷剂能在较低的温度时沸腾而吸收大量的热,从而起到最大制冷效果。常见的节流元件有膨胀阀和节流管两种,其中膨胀阀在汽车空调系统中应用最广泛。

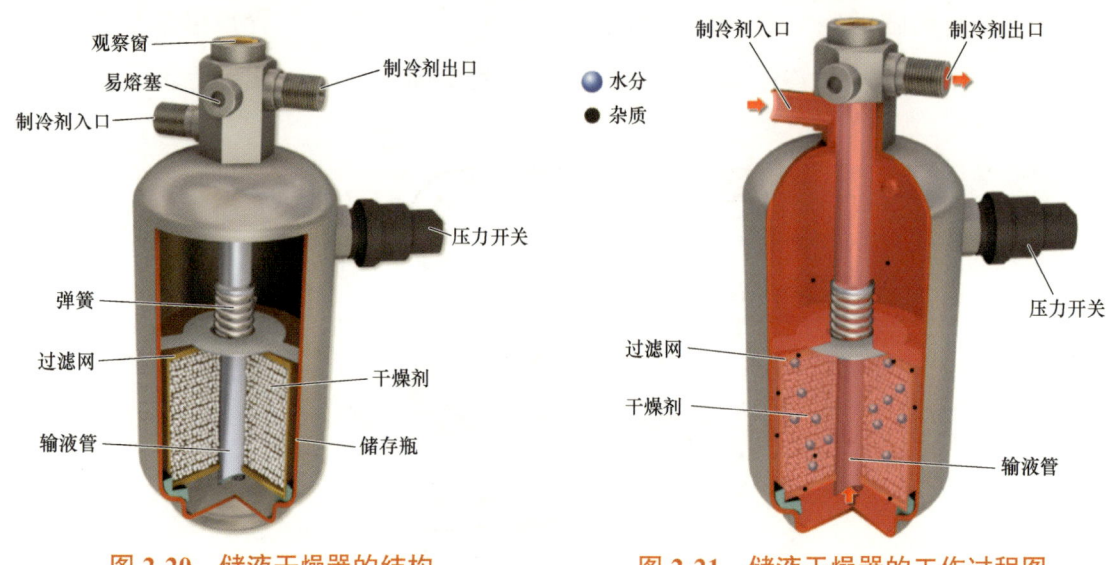

图 2-22 节流元件的安装位置

1. 膨胀阀

膨胀阀安装在蒸发器的入口处,它可以通过改变节流孔的尺寸来控制进入蒸发器的制冷剂流量。根据结构和原理的不同,膨胀阀又分为内平衡式膨胀阀、外平衡式膨胀阀和 H 形膨胀阀。

（1）内平衡式膨胀阀　内平衡式膨胀阀的部件包括感温包、毛细管、膜片、推杆、球阀和压力弹簧等,如图 2-23 所示。

内平衡式膨胀阀感温包内部加注制冷剂,通过毛细管与膨胀阀膜片上方相连,制冷剂从进口流入,经节流孔到达出口。节流孔的尺寸限定了制冷剂的流量。感温包监测蒸发器出口处制冷剂的温度,膜片下方承受蒸发器入口压力。

如果空调负荷增加,液态制冷剂在蒸发器内提前蒸发完毕,则蒸发器出口处制冷剂温度将升高,紧贴蒸发器出口的感温包内制冷剂膨胀,压力增加,再通过毛细管传递到膜片上方,使膜片上方的压力增大,推动推杆使膨胀阀开度增大,进入蒸发器中制冷剂的流量就会增加，制冷量增大，如图 2-24 所示。

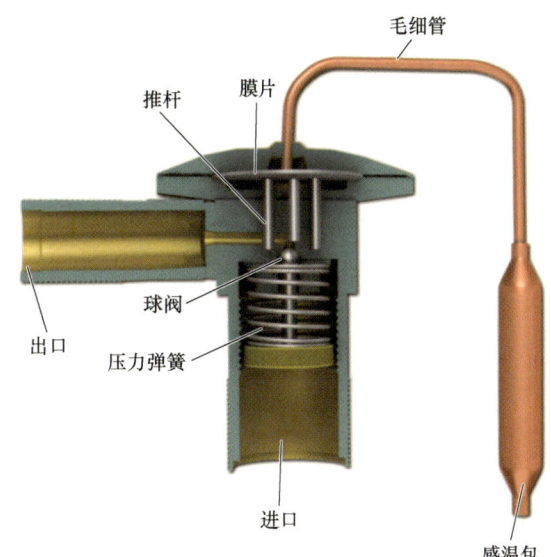

图 2-23　内平衡式膨胀阀的结构

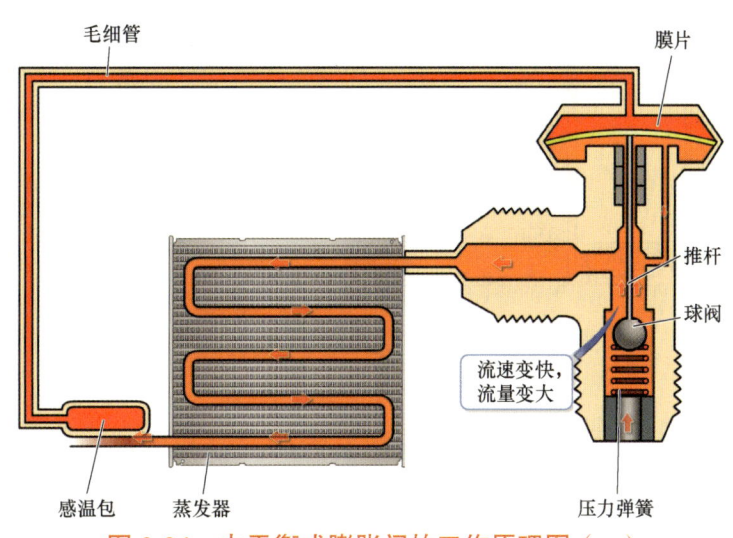

图 2-24　内平衡式膨胀阀的工作原理图（一）

如果空调负荷减小，则蒸发器出口制冷剂温度降低，紧贴蒸发器出口的感温包内制冷剂收缩，压力减小，再通过毛细管传递到膜片上方，使膜片上方的压力也减小，压力弹簧推动推杆使膨胀阀开度减小，制冷剂的流量变小，如图 2-25 所示。

（2）外平衡式膨胀阀　外平衡式膨胀阀与内平衡式膨胀阀的工作原理基本相同，区别在于内平衡式膨胀阀膜片下方承受的是蒸发器入口压力，而外平衡式膨胀阀膜片下方承受的是蒸发器出口压力，如图 2-26 所示。外平衡式膨胀阀利用一根外平衡管，将蒸发器出口的压力引入膜片下方，由于汽车空调系统中制冷剂在蒸发器里的压力损失较大，实际上蒸发器出口的压力会稍低于入口的压力，因此外平衡式膨胀阀对制冷剂流量的控制精度优于内平衡式膨胀阀。

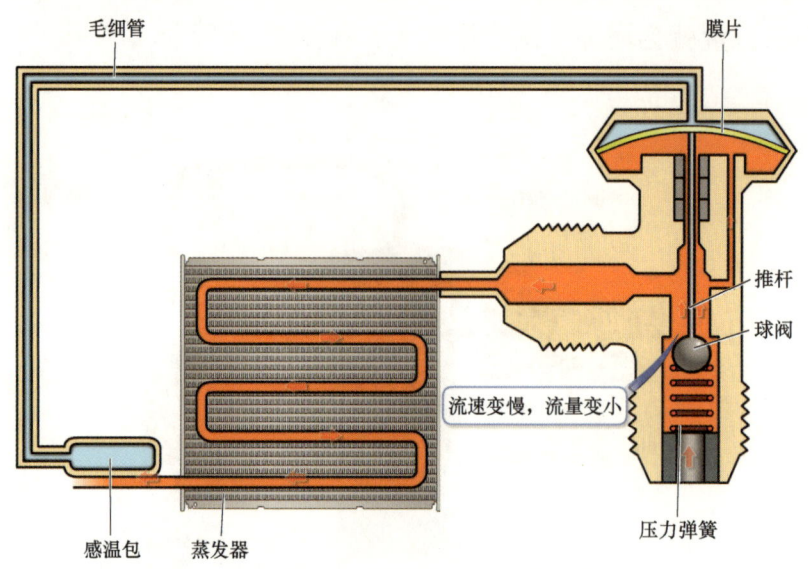

图 2-25 内平衡式膨胀阀的工作原理图（二）

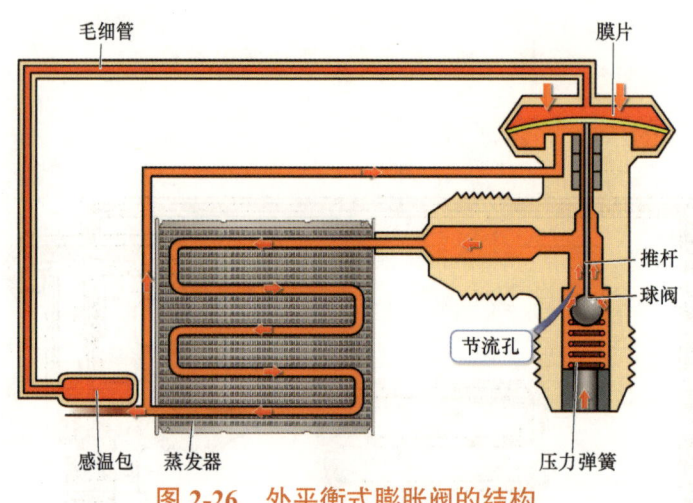

图 2-26 外平衡式膨胀阀的结构

（3）H形膨胀阀　H形膨胀阀安装在蒸发器的入口和出口处，通常位于发动机舱防火墙上。它共有四个接口与制冷系统连接。四个接口分为两组，呈H形布置，如图2-27所示，它的内部有钢球和压力弹簧，顶端有一个感温元件。

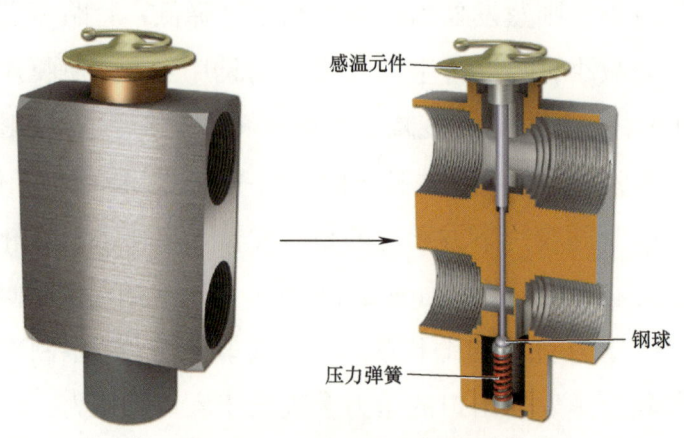

图 2-27 H形膨胀阀的结构

H形膨胀阀的一组接口连接蒸发器入口侧，它们分别连接储液干燥器（冷凝器）和蒸发器入口；另一组接口连接蒸发器出口侧，它们分别连接蒸发器出口和压缩机入口，且这一组接口之间设计有感温元件，以直接感应蒸发器出口制冷剂的温度。

H形膨胀阀的工作原理是：如果空调负荷增加，液态制冷剂在蒸发器内提前蒸发完毕，则蒸发器出口处制冷剂温度将升高，感温元件内的压力也增加，推动推杆压缩弹簧使膨胀阀开度增大，进入蒸发器中的制冷剂流量就会增加，制冷量增大，如图2-28所示。

如果空调负荷减小，则蒸发器出口处制冷剂温度降低，感温元件内的压力减小，压力弹簧推动推杆使膨胀阀开度减小，制冷剂的流量变小，如图2-29所示。

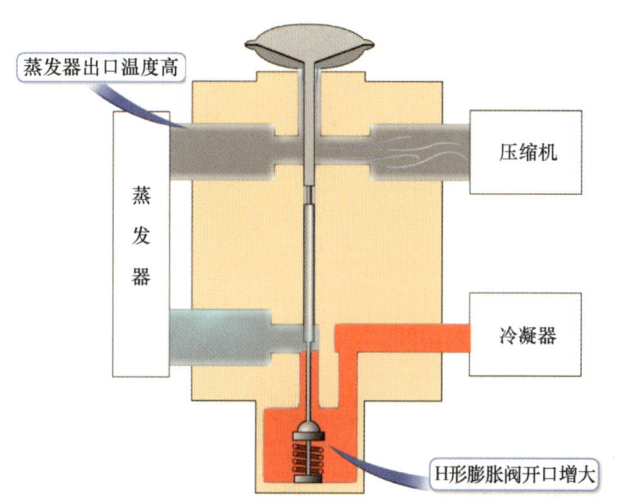

图2-28　H形膨胀阀的工作原理图（一）

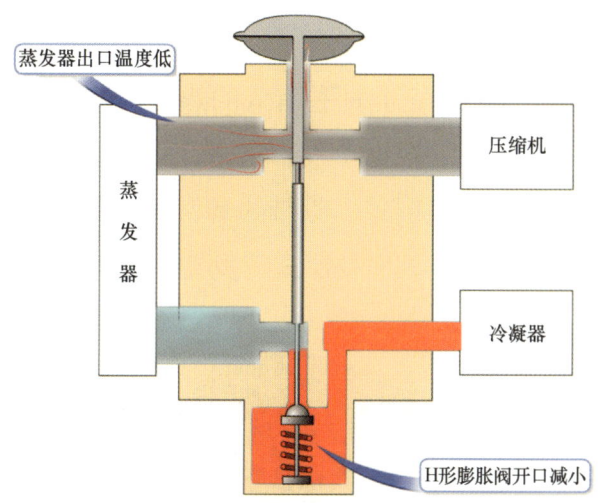

图2-29　H形膨胀阀的工作原理图（二）

H形膨胀阀取消了普通膨胀阀中的外置感温包、毛细管和外平衡管，提高了其调节灵敏度。另外，因其结构紧凑，抗振性好，从而被各品牌汽车的空调系统广泛采用。

2. 节流管

节流管位于冷凝器出口和蒸发器入口之间的管路中，高压的液态制冷剂进入节流管，节流管通过减小制冷剂的流量来实施节流降压作用。节流管内部有一个经过校准的固定孔径小管，它能使节流管的入口和出口之间产生压力差。为了防止杂质堵塞节流管，在入口处有滤网，如图2-30所示。节流管无机械运动部件，结构简单，但不能根据空调的负荷调节制冷剂的流量。目前，节流管多应用在使用可变排量压缩机的制

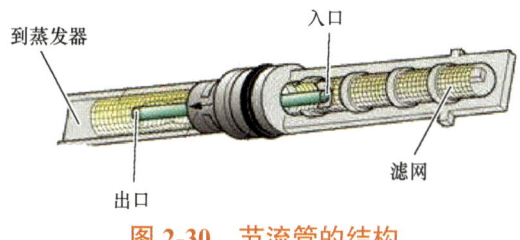

图2-30　节流管的结构

冷系统中。

五、蒸发器

1. 作用

蒸发器的作用是将经过节流降压后的液态制冷剂在蒸发器内沸腾汽化，吸收蒸发器表面周围空气的热量而使之降温，鼓风机再将冷风吹到乘客舱内，让乘客舱内的空气冷却并去除水蒸气，如图2-31所示。

2. 结构与类型

蒸发器通常位于仪表板下方的空调箱壳体总成内。它由螺旋管、散热片、入口管路和出口管路等组成。散热片多数为铝合金制成，它是一种有效的热交换材料。

根据蒸发器的外形不同，常用的蒸发器有叠层式、管带式和圆管式等，如图2-32所示，其中叠层式蒸发器在轿车中使用得越来越多。

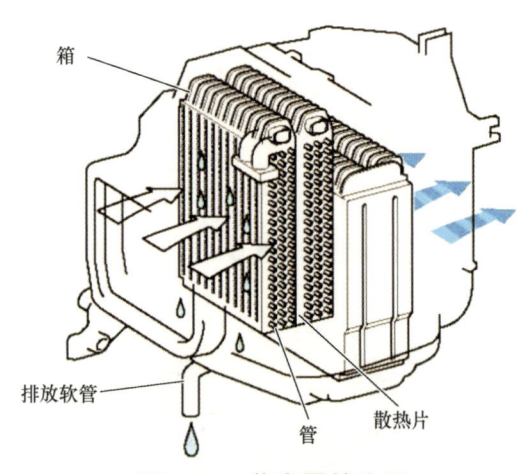

图2-31 蒸发器的作用

图2-32 蒸发器的结构与类型
a）叠层式 b）管带式 c）圆管式

3. 工作过程

蒸发器的工作过程与冷凝器正好相反，从膨胀阀或节流管进入蒸发器的制冷剂，由于体积突然膨胀会变成低温低压雾状物，这种状态的制冷剂很容易沸腾后汽化，汽化过程中的制冷剂吸收从鼓风机吹过来的空气的热量，使制冷剂由液态逐渐变成气态，如图2-33所示。同时，空气中的水蒸气被冷凝在蒸发器上形成小的水滴，水滴聚集在蒸发器底部，并排出车外，这就是空调制冷系统除湿的原理。在湿度较大的天气或冬天时，风窗玻璃上会形成一层雾气，妨碍驾驶人的视线，从而导致危险出现。此时，蒸发器的除湿（除雾）功能就能发挥较大的作用。

模块二 制冷系统的检查与维护

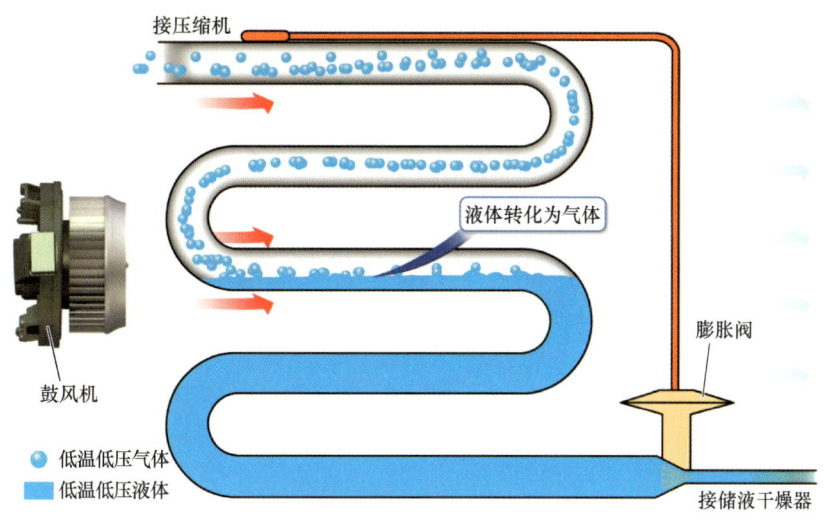

图 2-33 蒸发器的工作过程

六、制冷系统管路

1. 制冷管路

制冷管路用来输送制冷剂,从制冷系统的一个部件到另一个部件(如从压缩机到冷凝器)。

空调系统的连接管有硬管和软管。硬管一般用铜或铝合金制成,软管通常用人造橡胶制造,其外侧包有尼龙编织网。为了减小发动机和压缩机对空调系统的振动,压缩机的吸入侧和压出侧都用软管。其他部件,为了防止制冷剂泄漏,提高制冷系统的可靠性,一般都用硬管连接,如图 2-34 所示。

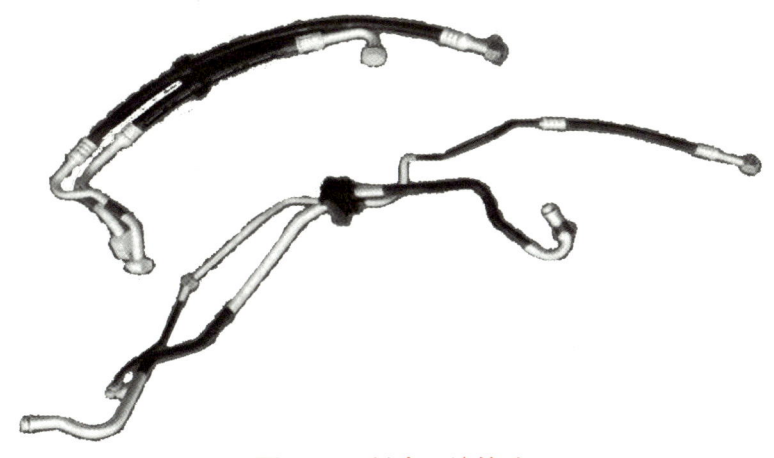

图 2-34 制冷系统管路

根据压力不同,制冷管路可分为高压管路和低压管路。低压管路是位于节流元件出口与压缩机入口之间的管路,这段管路输送的是低压和低温的制冷剂,触摸这段管路会感觉它很凉,且管径较粗;高压管路是位于压缩机出口和节流元件入口之间的管路,它将高压制冷剂从压缩机输送到节流元件,触摸这段管路通常会感觉很

43

热，且管径相对较细。

2. 管路连接处的密封

各管路或零件之间的连接处使用 O 形密封圈进行密封，图 2-35 所示为不同规格型号的 O 形密封圈。这种结构密封性很好，有效地防止了渗漏的发生。O 形密封圈材料多采用氢化丁腈橡胶，不但具有良好的耐油性、耐热性，同时还具有较高的抗压缩性能。另外，氢化丁腈橡胶还具有强度高、抗撕裂性好、耐磨性优异等特点。

> **小提示**
>
> O 形密封圈切勿重复使用，拆卸后必须更换新件。安装新密封圈时需使用少量冷冻机油进行润滑。

3. 检修接口

检修接口是空调制冷系统进行压力检测及制冷剂加注或回收的接口，如图 2-36 所示。它分为高压检修接口和低压检修接口，高压检修接口设置在高压管路上（管路较细），盖帽上方标有字母 H；低压检修接口设置在低压管路上（管路较粗），盖帽上方标有字母 L。R134a 制冷剂系统采用的是快速检修接口，这种接口将大大降低维修过程中的制冷剂泄漏概率。检修接口都有一个盖帽，盖帽可以防止灰尘污染系统，在维修作业过程中应保证检修接口盖帽的完整性，以避免丢失。

图 2-35　不同规格型号的 O 形密封圈

图 2-36　高、低压检修接口

模块二 制冷系统的检查与维护

| 制冷系统的检查与维护 | 学习任务单 | 班级：
姓名： |

1. 制冷系统是汽车空调的核心部分，它主要由压缩机、_____、干燥滤清器、_____、_____和连接管路等组成。

2. 压缩机是制冷系统的心脏，其作用是吸入来自蒸发器的_____气态制冷剂，将其压缩成_____状态后送往冷凝器，保证制冷剂在系统中循环流动。

3. 压缩机按照其结构区分可分为_____式和旋转式两种类型；按照排量是否可变区分，压缩机可分为定排量式和_____式。

4. 写出图中数字所指零件的名称。

1. _____ 2. _____ 3. _____
4. _____ 5. _____ 6. _____
7. _____ 8. _____ 9. _____
10. _____ 11. _____ 12. _____

5. 冷凝器的作用是将压缩机排出的_____制冷剂进行冷却，使之凝结为_____。

6. _____的作用是过滤制冷剂中的杂质，同时用干燥剂去除系统中的湿气。

7. 节流降压装置的作用是把_____制冷剂转变为低压液态的制冷剂。低压的制冷剂能在较低的温度时沸腾而吸收大量的热，从而起到最大制冷效果。常见的节流元件有_____和节流管两种。

8. 蒸发器的作用是将经过节流降压后的_____制冷剂在蒸发器内沸腾汽化，吸收蒸发器表面周围空气的热量而使之降温。

9. 制冷管路根据压力不同，可以分为_____管路和_____管路。_____管路是位于节流元件出口与压缩机入口之间的管路，这段管路输送的是低压和低温的制冷剂。触摸这段管路会感觉它很凉，且管径较粗。

10. 制冷系统各管路或零件之间为了防止制冷剂泄漏，在连接处使用_____进行密封。

实训任务 制冷系统的检查与维护

实训器材

丰田卡罗拉轿车、歧管压力表、电子检漏仪、荧光检漏设备、真空泵、回收加注机、制冷剂、冷冻机油、常用维修工具和维修手册等。

作业准备

车辆在工位停放周正，铺好车内和车外护套等。

操作步骤

手动排放
制冷剂

一、回收与加注制冷剂（用歧管压力表作业）

1. 制冷剂的排放

> **小提示**
>
> 　　制冷剂要尽可能地回收，不能轻易排放到大气中而污染环境。若确需排空制冷剂时，周围环境一定要通风良好，不要接近明火，否则会产生有毒气体。

1）首先将歧管压力表的高、低压手动阀关闭，并挂到发动机舱盖上。

2）连接歧管压力表的低压管接头到低压检修阀上。

3）用抹布简单包住歧管压力表中间接管的出口。

4）缓慢打开低压手动阀，让制冷剂缓慢地从中间接管流出，如图2-37所示。

5）直到压力表低压的读数为零时，再关闭手动阀。

图2-37　制冷剂的排放

2. 制冷系统抽真空

> **小提示**
>
> 　　在汽车空调制冷系统维修过程中，一旦制冷系统暴露于空气中或更换某一个制冷系统部件时，都必须进行抽真空。抽真空的目的是排除制冷系统内的空气和湿气，实际上抽真空并不能直接把水分抽出制冷系统，而是产生真空后降低了水的沸点，使水汽化成水蒸气抽出系统。

制冷系统
抽真空

模块二 制冷系统的检查与维护

1）将歧管压力表的高、低压软管接头分别连接到高、低压检修阀上。

2）将歧管压力表中间软管连接到真空泵的吸气口。

3）打开歧管压力表上的高、低压手动阀。

4）连接真空泵电源插座，并打开真空泵电源开关。

5）观察低压表的指针是否向真空侧偏摆。连续抽5min后，低压表应达到–30kPa；高压表略低于零，如图2-38所示。

6）在低压表指针到最低位时，关闭高、低压手动阀，关闭真空泵电源开关，再观察低压表的指针是否上升（等待约5min），如果上升说明真空有损失，系统还有漏点，要修复后才能继续抽真空，如图2-39所示。

7）继续抽真空，抽真空的时间不得少于30min，如时间允许可再长些。

8）抽真空结束时，先关闭高、低压手动阀，再关闭真空泵。

图2-38 制冷系统抽真空

3. 冷冻机油的加注

加注冷冻机油

> **小提示**
>
> 注入冷冻机油的油量一定要根据维修手册标准来确定。否则，注入过多的冷冻机油可能造成制冷效果差；注入过少的冷冻机油可能造成压缩机过快磨损。

1）倒入适量的冷冻机油到量杯中。

2）将歧管压力表中间软管接头浸入冷冻机油中。

3）缓慢地打开歧管压力表高压手动阀，利用制冷系统内的真空将冷冻机油吸入制冷系统中，要注意观察，防止吸入空气，如图2-40所示。

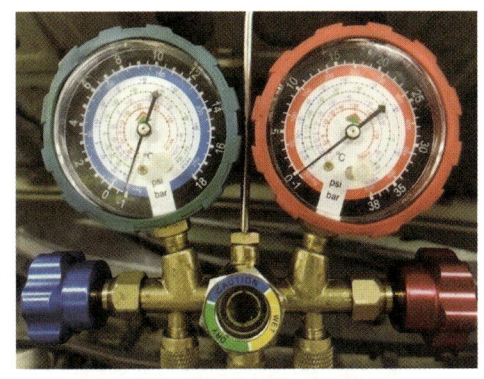

图2-39 观察歧管压力表读数

图2-40 缓慢打开歧管压力表高压手动阀

4）将量杯内的冷冻机油吸尽后再关闭高压手动阀。

4. 制冷剂的加注

> **小提示**
>
> 　　加注制冷剂前，制冷系统抽真空要达到要求，不要混淆 R12 与 R134a 制冷剂。充注制冷剂的方法有三种：一种是从制冷系统高压侧的检修阀充注，称为高压端充注，充入的是制冷剂液体，其特点是安全、快速，但使用该方法应注意充注过程中不可起动发动机（压缩机不能开启）；第二种是从制冷系统低压侧的检修阀充注，充入的是制冷剂气体，其特点是充注速度慢，可在系统补充制冷剂的情况下使用；第三种是先从高压端检修阀充注一定量制冷剂后，起动发动机，让空调制冷系统工作，再从低压侧检修阀吸入制冷剂，这种方法充注制冷剂的速度较快，无须其他专用仪器，一般汽车修理厂都采用这种方法。

1）当制冷系统已经抽真空并注入适量的冷冻机油后，关闭歧管压力表上的高、低压手动阀。再将中间软管接头连接到制冷剂罐注入阀上。

2）将制冷剂罐拧装到注入阀上，旋入注入阀的手柄，使注入阀刺穿制冷剂罐，如图 2-41 所示，然后再旋出注入阀手柄，使罐内的制冷剂流出。

3）稍许拧松歧管压力表中间软管的上方接头，让原来管路中的空气逸出 1~2s，然后再拧紧软管接头。

4）拧开高压手动阀至全开位置，此时，可以将制冷剂罐倒立，液态的制冷剂从高压端注入制冷系统。

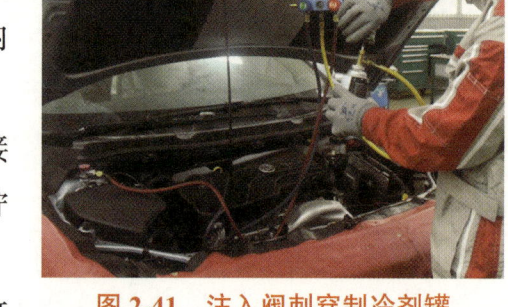

图 2-41　注入阀刺穿制冷剂罐

5）观察高、低压力表指针，如果高、低压力表指针不再上升，而罐内仍然有较多的制冷剂时，说明从高压端充注完成。

6）将制冷剂罐直立，关闭歧管压力表高压手动阀。

7）起动发动机，打开空调鼓风机开关到最高档、打开 A/C 开关、温度调节旋钮旋到最冷位置，发动机转速保持在 1500r/min 左右。

8）直立制冷剂罐，打开歧管压力表低压手动阀，使制冷剂从低压检修阀注入制冷系统，如图 2-42 所示。

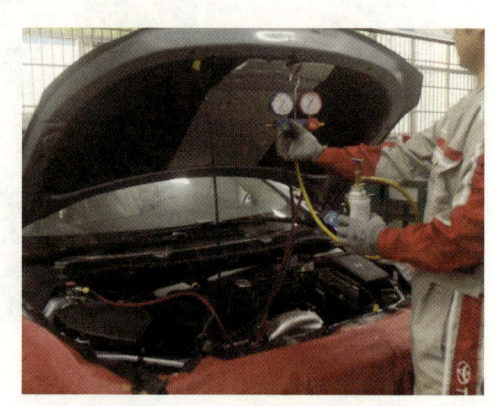

图 2-42　打开低压手动阀

模块二 制冷系统的检查与维护

9)密切注意制冷剂视液窗和高、低压力表,确认制冷剂加注量是否足够,如不足,可以再加注第二罐制冷剂,直到视液窗只有少量气泡为止。

10)拧入制冷剂罐注入阀手柄,关闭压力表低压手动阀,关闭空调和发动机。

二、回收与加注制冷剂(用回收加注机作业)

1. 制冷剂的回收

制冷剂的回收与加注

> **小提示**
> 回收制冷剂前先要对制冷剂成分进行鉴别,只有满足要求的制冷剂才能回收。

1)连接回收加注机电源插头,并打开电源开关,此时显示屏会显示制冷剂净重(制冷剂罐在回收加注机的内部),如图2-43所示。

2)先关闭回收加注机上的高、低压手动阀,再将回收加注机的高、低压软管接头连接到制冷系统高、低压检修阀上,如图2-44所示。

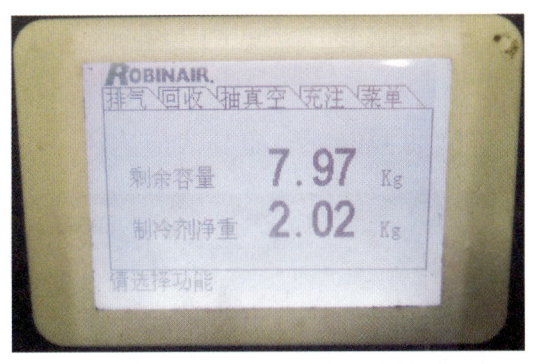

图2-43 显示制冷剂净重

图2-44 连接高、低压软管接头

3)起动发动机,并打开空调运转3~5min,让制冷剂与冷冻机油充分混合。

4)发动机熄火。

5)记录此时回收加注机显示屏上显示的制冷剂净重,记录此时回收加注机废油瓶的油量,如图2-45所示。

6)打开回收加注机上的高、低压手动阀,并按下"回收"键,即开始回收制冷系统的制冷剂,如图2-46所示。

7)查看高、低压表指针应缓慢下降,待低压

图2-45 记录废油瓶油量

49

表指针指向负数后,再回收约 1min,再按下"确认"键,系统停止回收。

8)显示屏显示"正在排油",待回油结束后,再记录废油瓶内的油量,与回收前的数值相减,即为本次回收冷冻机油的油量,如图 2-47 所示。

图 2-46　回收制冷剂

图 2-47　正在排油

9)按下"取消"键,显示屏显示回收后的罐重,与回收前的数值相减,即为本次回收制冷剂的重量。

2. 抽真空

1)检查高、低压表指针是否在零位(如果制冷系统还有压力,将不能抽真空)。

2)按下回收加注机上的"抽真空"键,并打开高、低压手动阀,此时从高、低压侧同时抽真空。

3)观察低压表的指针是否向真空侧偏摆。连续抽 3min 后,低压表应达到 –30kPa 或更低,高压表略低于零,如图 2-48 所示。

4)抽真空 30min 以上。

5)按下"取消"键。

3. 保压检漏

1)当抽真空时间足够后,按下"取消"键,系统会自动跳到保压阶段,如图 2-49 所示,此时,关闭高、低压手动阀。

2)记录低压表指示值,等待 5min 以上,看指针是否回摆。如回摆,说明制冷系统还存在泄漏,需要继续查找泄漏部位。

图 2-48　观察高、低压表读数

3)指针没有回摆,如图 2-50 所示,则可进入下一个流程。

4. 加注冷冻机油

1)记录注油瓶的油量,计算本次应加注的冷冻机油油量(回油量 +20mL)。

2)保压完成后,按下"取消"键自动进入注油流程,显示屏显示"是否注油"。

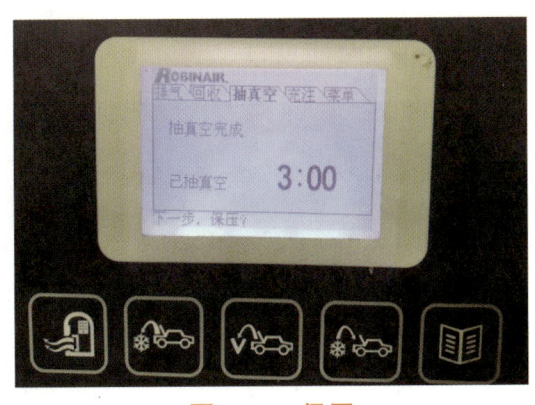

图 2-49　保压

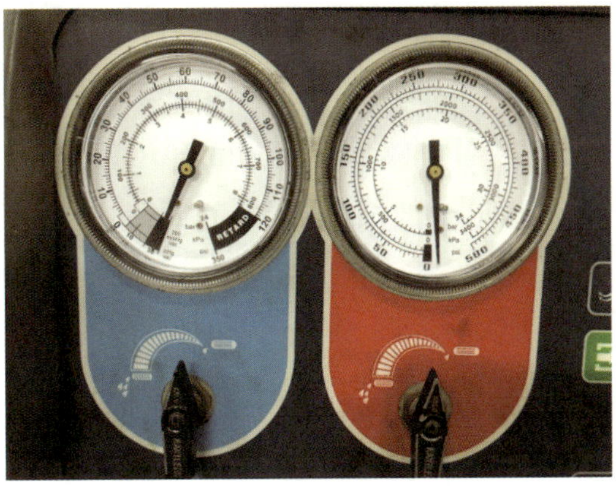

图 2-50　低压表指针保持不变

3）打开高压手动阀（从高压侧注油），此时应密切观看注油瓶，注油瓶的冷冻机油在真空吸力下快速下降，当达到注油量时，立即按下"确认"键，防止吸入过量的冷冻机油，如图 2-51 所示。

4）查看注油瓶的油量，计算注油是否足够，如图 2-52 所示，如不足，可以按下"确认"键继续注油。

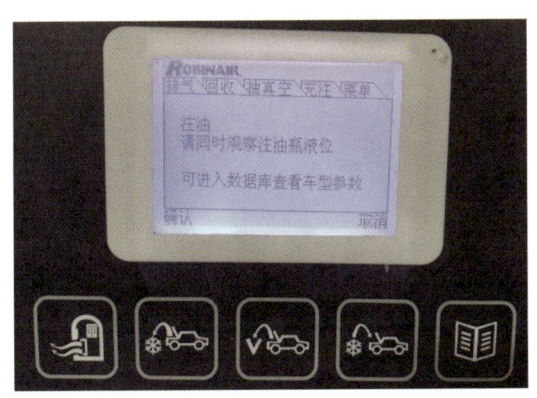

图 2-51　注油

图 2-52　查看注油瓶油量

5）按下"取消"键，注油完成。

5. 再次抽真空

> **小提示**
>
> 本次抽真空是防止注油时注入了空气，需要再次抽真空。而且只能从低压侧抽取，因为刚刚充注的冷冻机油还停留在高压管路中，如果用高压侧抽真空，会将冷冻机油抽出。

1）关闭高压手动阀，打开低压手动阀。

2）按下"抽真空"键，设定抽真空时间，进行第二次抽真空。

3）再次抽真空约 5min 即可，如图 2-53 所示，按下"取消"键。

4）关闭低压手动阀。

6. 加注制冷剂

1）查询维修手册，查找制冷剂加注量或按下回收加注机的"数据查询"键，查找该车型制冷剂加注量。

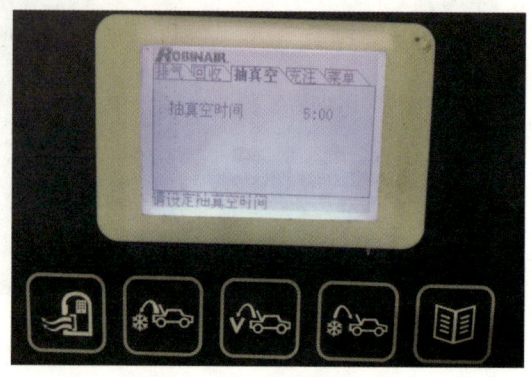

图 2-53　再次抽真空

2）关闭低压手动阀，打开高压手动阀。

3）按下"加注"键，显示屏显示设定的加注量，按下数字键输入需要的加注量，再按下"确认"键，回收加注机内的制冷剂快速注入制冷系统中，如图 2-54 所示。

4）此时显示屏显示充注量，当充注到设定量后，回收加注机会自动停止加注。

5）显示屏显示"下一步，管路清理"。

7. 管路清理

1）待回收加注机自动停止加注后，从高、低压检修阀接口上取下回收加注机的高、低压接头。

2）打开高、低压手动阀，按下"确认"键，回收加注机进行管路清理，将残留在管路中的制冷剂回收到制冷剂罐中。

3）清理管路时间约 2min，如图 2-55 所示，待清理完后低压表指针指示到零处，即可按下"取消"键，完成管路清理。

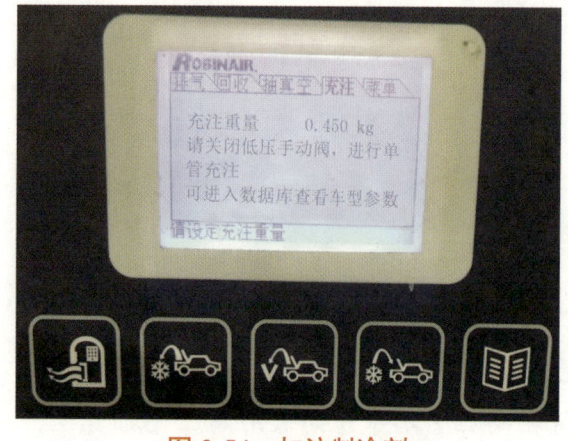

图 2-54　加注制冷剂

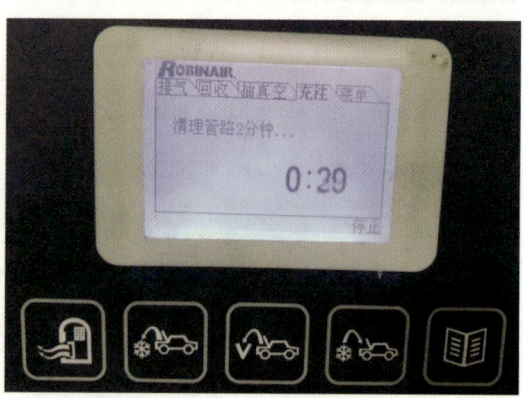

图 2-55　清理管路

4）关闭回收加注机电源开关。

三、拆装压缩机

1. 压缩机的拆卸

1)回收制冷系统中的制冷剂。

2)选用合适工具松开图中螺栓 A 和 B,再松开螺栓 C,向发动机侧推动发电机,然后取下传动带,如图 2-56 所示。

3)选用合适的工具拆下压缩机上低压管和高压管的固定螺栓,如图 2-57 所示。

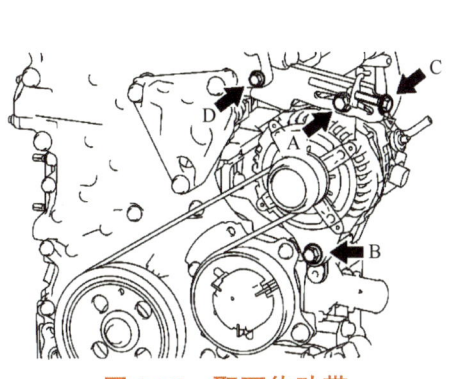

图 2-56 取下传动带

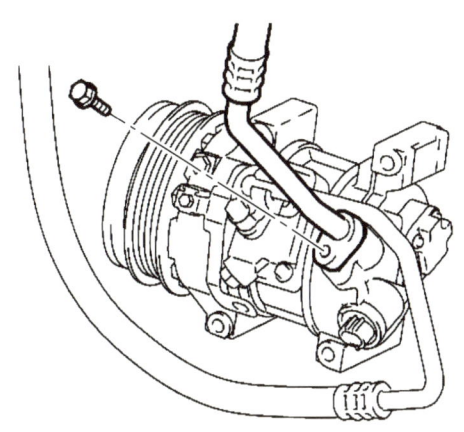

图 2-57 拆下高、低压管的固定螺栓

4)取下低压管和高压管后用胶带缠绕管口,防止湿气和异物进入制冷系统管路。

5)断开压缩机电磁阀线束插接器。

6)选用合适的工具拆下压缩机的固定螺栓和紧固螺母,再小心取下压缩机总成,如图 2-58 所示。

2. 压缩机的检测

用万用表电阻档测量压缩机电磁阀端子 1 与 2 的阻值为 4~11Ω,如图 2-59 所示。

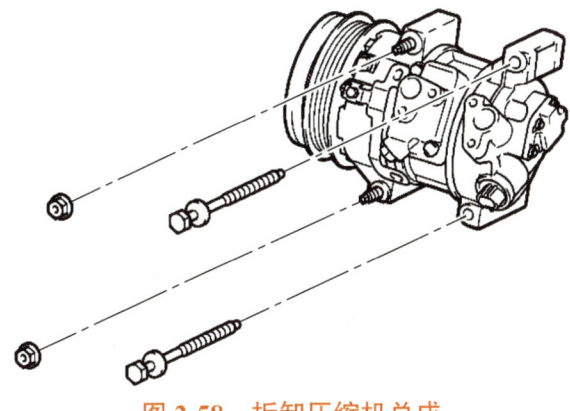

图 2-58 拆卸压缩机总成

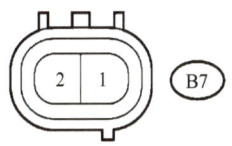

图 2-59 测量电阻

3. 压缩机的安装

1）安装压缩机并按规定力矩拧紧固定螺栓与紧固螺母。

2）更换高压管口与低压管口上的密封圈，并在密封圈上涂少许冷冻机油。

3）安装高压管与低压管到压缩机上，并按规定力矩拧紧固定螺栓。

4）连接压缩机电磁阀线束插接器。

5）安装传动带到带轮上，转动螺栓 C，以调节传动带的张紧力，然后再紧固螺栓 A 和 B 到规定力矩，如图 2-56 所示。

6）抽真空并检查制冷系统是否存在泄漏。

7）加入规定量的制冷剂。

四、拆装冷凝器

1. 冷凝器的拆卸

1）选用合适的工具拆下前保险杠的所有固定螺钉与卡扣。

2）拔下左、右雾灯线束插接器，并取下前保险杠，如图 2-60 所示。

3）拔下喇叭线束插接器，取下发动机舱盖锁拉绳。

4）选用合适的工具拆下散热器与冷凝器上支架固定螺栓，并取下支架，如图 2-61 所示。

图 2-60 拆卸前保险杠

图 2-61 拆卸支架固定螺栓

5）选用合适的工具拆下冷凝器入口与出口连接管路的固定螺栓，如图 2-62 所示，并分离入口与出口管路。

6）用胶带缠绕入口与出口管路管口，防止湿气和异物进入制冷系统管路。

7）向上提起并取下冷凝器。

图 2-62 拆下冷凝器连接管路的固定螺栓

2. 冷凝器的安装

按与拆卸相反的顺序安装冷凝器，但应更换入口与出口管路管口上的密封圈，并在密封圈上涂少许冷冻机油。安装完毕后确保制冷系统无泄漏，再加注适量的制冷剂。

五、拆装膨胀阀

拆卸膨胀阀

1. 膨胀阀的拆卸

1）选用合适的工具拆下高、低压管压板与膨胀阀固定螺栓，并移开压板，如图 2-63 所示。

2）选用合适的工具拆下膨胀阀与蒸发器固定的两个螺栓，如图 2-64 所示。

3）分离高、低压管路与膨胀阀。

4）取下膨胀阀。

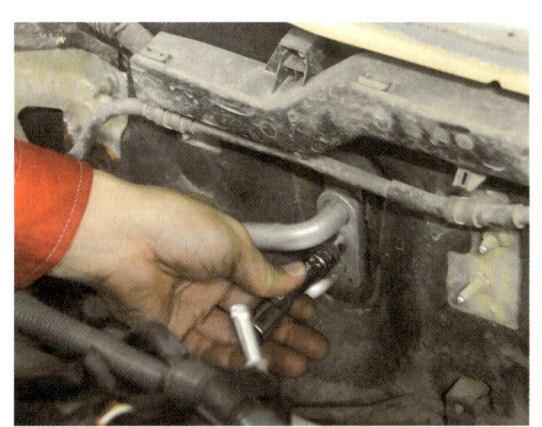

图 2-63　拆卸固定螺栓

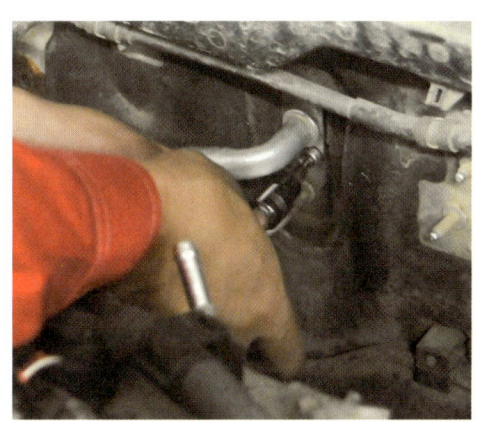

图 2-64　拆下膨胀阀与蒸发器固定的两个螺栓

2. 膨胀阀的安装

按与拆卸相反的顺序安装膨胀阀，但应更换高压管口与低压管上的密封圈，并在密封圈上涂少许冷冻机油。安装完毕后确保制冷系统无泄漏，再加注适量的制冷剂。

实训任务总结：_____

制冷系统的检查与维护		工作任务单		班级：	
				姓名：	

1. 记录车辆信息

品牌		整车型号		生产年月	
发动机型号		发动机排量		行驶里程	
车辆识别代号					

2. 回收与加注制冷剂

序号	项目	作业记录
1	回收管路的连接	管路连接结果：
2	制冷剂的回收	制冷剂回收结果：
3	制冷剂的净化	制冷剂净化结果：
4	初抽真空	抽真空时间设定：
		抽真空结果：
5	保压	保压后真空度：
		结果判断：
6	注油	排出油量：
		注油瓶的油量：
		设定注油量：
		实际注油量：
7	抽真空	抽空时间设定：
		抽真空结果：
8	定量加注制冷剂	加注量设定：
		加注结果：
9	管路回收	管路回收结果：

3. 查询维修手册

序号	部件名称	章节及页码	规格（公制）
1		章　　　　页	
2		章　　　　页	
3		章　　　　页	

模块二 制冷系统的检查与维护

制冷系统的检查与维护			实习日期：		
姓名：		班级：	学号：		
自评：□熟练 □不熟练		互评：□熟练 □不熟练	师评：□合格 □不合格		导师签名：
日期：		日期：	日期：		

制冷系统的检查与维护【评分细则】

序号	评分项	得分条件	分值	评分要求	自评	互评	师评
1	安全/7S/态度	□1. 能进行工位 7S 操作 □2. 能进行设备和工具安全检查 □3. 能进行车辆安全防护操作 □4. 能进行工具清洁、校准、存放操作 □5. 能进行三不落地操作	15	未完成项，每项扣 3 分	□熟练 □不熟练	□熟练 □不熟练	□合格 □不合格
2	专业技能能力	□1. 能正确地连接高、低压管路 □2. 能正确地回收制冷剂 □3. 能正确地回收冷冻机油 □4. 能正确地抽真空 □5. 能正确地保压检漏 □6. 能正确地加注冷冻机油 □7. 能正确地加注制冷剂 □8. 能正确地检查空调制冷情况	50	未完成项，每项扣 5 分	□熟练 □不熟练	□熟练 □不熟练	□合格 □不合格
3	工具及设备的使用能力	□1. 能正确地选用维修工具 □2. 能正确地使用维修工具 □3. 能正确地使用回收加注机 □4. 能正确地使用歧管压力表	10	未完成项，每项扣 3 分，扣分不得超过 10 分	□熟练 □不熟练	□熟练 □不熟练	□合格 □不合格
4	资料、信息的查询能力	□1. 能正确地使用维修手册查询资料 □2. 能正确地记录查询资料章节及页码 □3. 能正确地记录所需维修信息	10	未完成项，每项扣 3 分	□熟练 □不熟练	□熟练 □不熟练	□合格 □不合格
5	数据判断和分析能力	□1. 能判断空调管路是否泄漏 □2. 能判断冷冻机油加注量 □3. 能判断制冷剂加注量 □4. 能判断空调系统工作是否正常	10	未完成项，每项扣 3 分，扣分不得超过 10 分	□熟练 □不熟练	□熟练 □不熟练	□合格 □不合格
6	表单填写与报告的撰写能力	□1. 字迹清晰 □2. 语句通顺 □3. 无错别字 □4. 无涂改 □5. 无抄袭	5	未完成项，每项扣 1 分	□熟练 □不熟练	□熟练 □不熟练	□合格 □不合格
总分：							

模块三
过滤通风系统与空调控制系统的检查

学习目标

知识目标

1）掌握过滤通风系统的作用与组成。

2）掌握空调控制系统的作用、组成和控制内容及方式。

技能目标

1）会检查过滤通风系统各部件功能是否正常。

2）会熟练地更换和清洁空调滤清器。

3）会熟练地拆装与检测鼓风机和鼓风机电阻器。

素养目标

1）能够在工作过程中与小组其他成员合作、交流，养成团队合作意识，锻炼沟通能力。

2）养成7S的工作习惯。

3）养成服从管理、规范作业的良好工作习惯。

任务描述

一辆丰田卡罗拉轿车用户反映：空调出风有异味，需要对空调系统进行检查，确定故障原因并进行修理。

相关知识

汽车空调过滤通风系统（也称配气系统）主要由空气过滤装置与通风装置等组成，其中通风装置主要由内外循环风门、空气混合风门、出风模式风门、空气分配管道及风门控制机构等组成。内外循环风门用于控制空气内循环进风或外循环进风；空气混合风门又叫作温度控制风门，用于调节出风温度；出风模式风门将混合气分配至相应空气管道。无论空调系统需要输送的是冷气还是暖气，都要经过配气系统进行输送分配。目前轿车的空调，几乎全部采用冷暖一体化空调系统（可同时制出冷气和暖风）。其配气系统如图3-1所示。

模块三　过滤通风系统与空调控制系统的检查

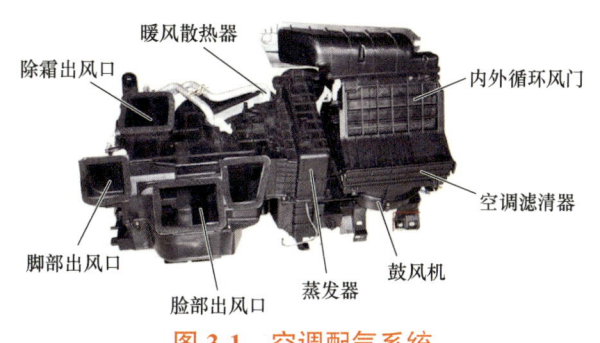

图 3-1　空调配气系统

一、空气净化装置

汽车车外空气受到粉尘、烟尘以及汽车尾气中一氧化碳、二氧化硫等有害气体污染；车内空气受乘客呼出的二氧化碳、人体汗味以及漏入车内的废气污染。这些污染降低了车内空气的洁净度，因此，现代汽车空调安装了空气净化装置，能够清除车内空气中的异味，去除车外空气中的花粉和灰尘，使空气净化。

一般的汽车空调系统净化装置是空调滤清器，主要是除去空气中的悬浮尘埃。而在一些中高档汽车的空调单元中，还设有除臭和空气负离子发生装置，使空气保持清洁自然。

空调滤清器在配气系统中的位置如图 3-2 所示。它一般安装在鼓风机的上方（进风口），使车内、车外循环的空气都经由滤清器过滤。

空调滤芯的材料是由不同性能且中间夹活性炭的无纺布有序复合加工而成的。滤芯加工成褶皱状，有效地增加了过滤面积。汽车空调滤清器不但能过滤空气中的细微颗粒、花粉，同时，利用活性炭的物理性能，还能有效地吸

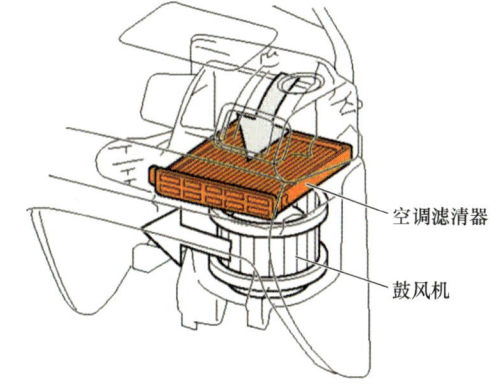

图 3-2　空调滤清器在配气系统中的位置

附空气中的甲醛、氨气等十几种有害气体，尤其是对烟雾产生的恶臭气体，有显著的吸附效果。汽车空调滤清器对保持车厢内的空气清洁，有效保护车内人员的健康起到了一定的作用。

另外，某些车型安装烟雾传感器，它能够检测香烟烟雾并自动地使鼓风机以"HI"转速（最高转速）运行，如图 3-3 所示。

二、空调通风控制

汽车空调通风的控制主要包括内外循环风门控制、空气混合风门控制和出风模式风门控制三部分。

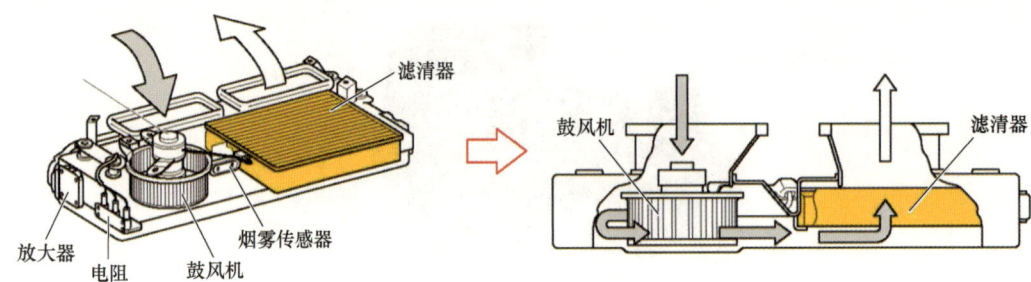

图 3-3　空调滤清器的过滤作用

1. 内外循环风门控制

汽车空调的进风口分为新鲜空气入口和循环空气入口。轿车的新鲜空气入口安装在前风窗玻璃下部，吸入的是车辆外部空气；循环空气入口安装在仪表板下部，吸入的是车内空气。

内外循环风门安装在新鲜空气入口和再循环空气入口的交汇处，通过操纵空调控制面板上的内外循环模式旋钮或开关，再通过拉索或电动机就可以改变内外循环风门的位置，可以是全部外循环，也可以是全部内循环，部分车还可以是车内外空气按一定比例进入车内进行循环，如图3-4所示。

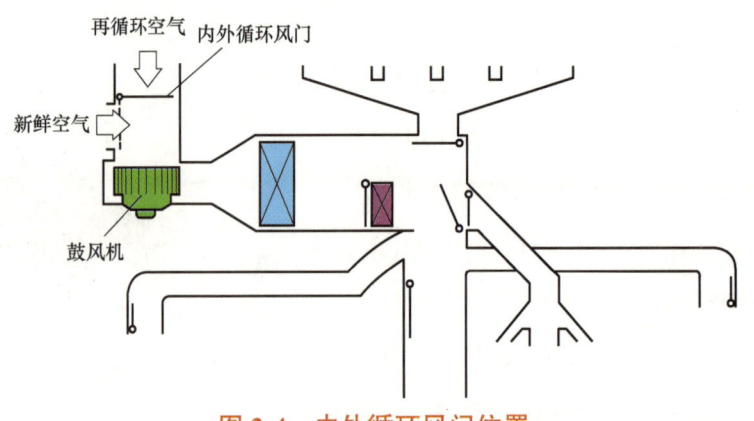

图 3-4　内外循环风门位置

（1）外循环　外循环是利用鼓风机将车外的空气抽吸到车内，也就是说车外与车内的气道是流通的，空调系统吹出的风来自车外。如果设置了外循环，即使不开鼓风机，车辆行驶中也有气流吸入车内，补充车内的新鲜空气，然后再由车身后部通风口流出。

（2）内循环　内循环是关闭了车外的气流通道，不开鼓风机就没有气流循环。开鼓风机时吸入的气流也仅来自车内，形成车辆内部的气流循环。内循环主要是可以及时有效地阻止外部的灰尘和有害气体进入车内，比如行驶中通过烟雾、扬尘、异味区域或车辆密集紧凑行驶时，阻挡前车排出的有害尾气。适当地开启内循环还可以在炎热的夏天保住冷气，在寒冷的冬天留住暖气，起保温作用。

模块三　过滤通风系统与空调控制系统的检查

2. 空气混合风门控制

空调系统既可以吹冷气，又可以送出暖风。冷气和暖风的比例是由空气混合风门（也称为温度控制风门）来控制的。目前，大部分车型取消了水阀，因此，出风温度的高低完全取决于空气混合风门的位置。

空气混合风门是由旋钮或杠杆通过拉索来控制的，如图3-5所示。这种结构属于手动控制的纯机械结构，具有结构简单紧凑、制造成本低廉等优点。

图3-5　拉索控制风门

（1）**最低温度位置**　当驾驶人将温度选择开关逆时针转动到极限位置时，如图3-6所示，空气混合风门将阻断通往暖风加热器芯的气流，鼓风机输送的气流通过制冷系统的蒸发器后冷却变成冷气通往出气口。这时空调系统快速制冷，使系统送风具有最佳的制冷效果，这一位置被称为最冷位置。

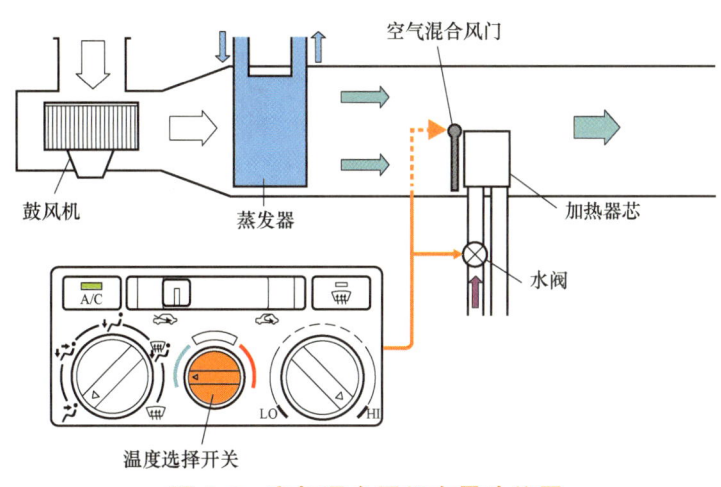

图3-6　空气混合风门在最冷位置

（2）**中间位置**　当驾驶人将温度选择开关转到中间位置时，如图3-7所示，空气混合风门允许部分气体通过暖风加热器芯，气流被加热到合适的温度。当空调制冷系统不工作时（未开A/C开关），蒸发器对经过的气流不产生冷却作用，气流被部分加热；当制冷系统工作时，气流先经过蒸发器冷却后再部分地被加热器芯加热，以达到一个舒适的温度。

（3）**最高温度位置**　当驾驶人将温度选择开关顺时针转动到极限位置时，如图3-8所示，空气混合风门将关闭气流的直接流出通道，这时气流最大限度地流经暖风加热器芯。这时的空调制冷系统一般是不工作的（需要除去空气中的水分除外），气流虽然经过蒸发器但不会被冷却。由于几乎全部的气流都经过暖风加热器芯被加热，所以空调系统吹出的暖气温度最高，这一位置被称为最热位置。

61

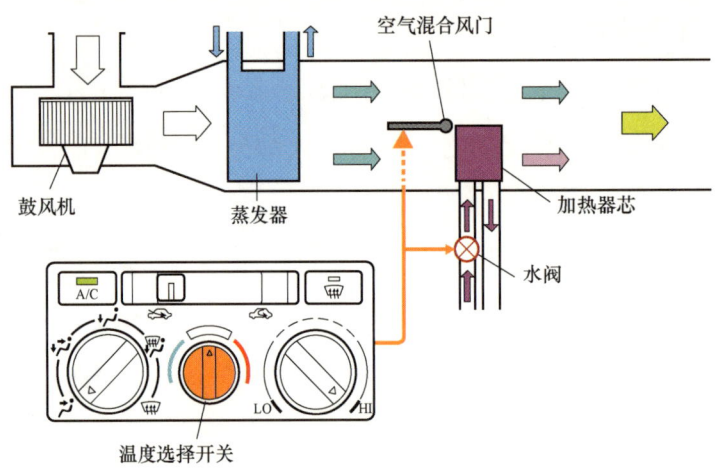

图 3-7　空气混合风门在中间位置

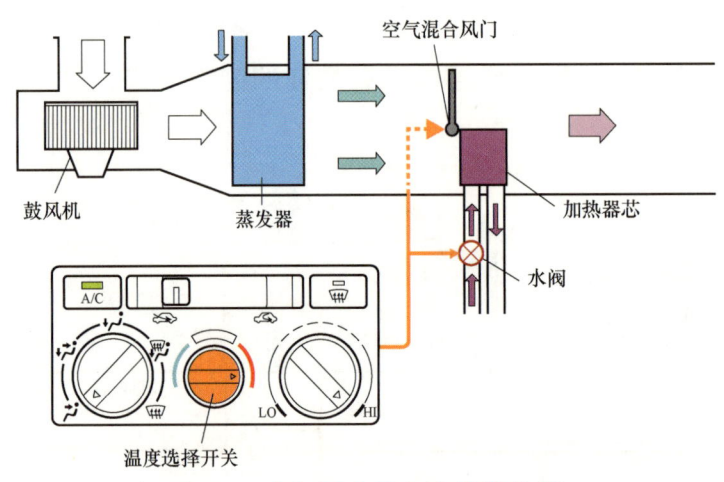

图 3-8　空气混合风门在最热位置

3. 出风模式风门控制

出风模式风门的机械操作装置由模式选择旋钮、拉索、传动机构和模式风门等组成，出风模式风门由中央与侧通风风门、脚部风门、除霜风门等多个风门通过传动机构连接而成，如图 3-9 所示。出风模式的选择通过旋钮的转动，使拉索拉动风门传动机构，再带动出风模式风门转到相应的位置。

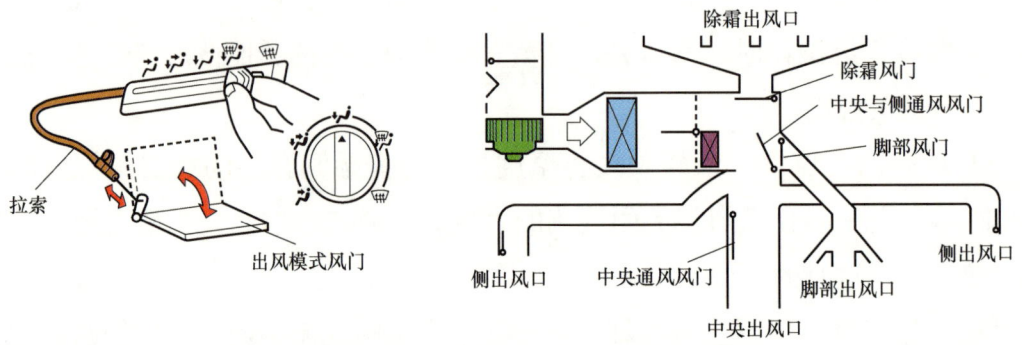

图 3-9　出风模式风门的结构

出风模式有 FACE（脸部）、FACE+FOOT（脸部与脚部）、FOOT（脚部）、FOOT+DEF（脚部与除霜）、DEF（除霜）五种模式。

（1）FACE（脸部）模式　当驾驶人操纵出风模式旋钮至 FACE（脸部）模式时，旋钮带动拉索拉动出风模式风门控制机构，使模式风门转到 FACE 位置。模式风门不止一个，一般由 3~4 个组成，分别控制中央与侧面通风、除霜、脚部通风等。如图 3-10 所示，在 FACE 位置时，除霜风门封闭除霜出风口，脚部风门封闭脚部出风口，中央与侧通风风门打开，气流从仪表板上的中央和侧面出风口吹出。

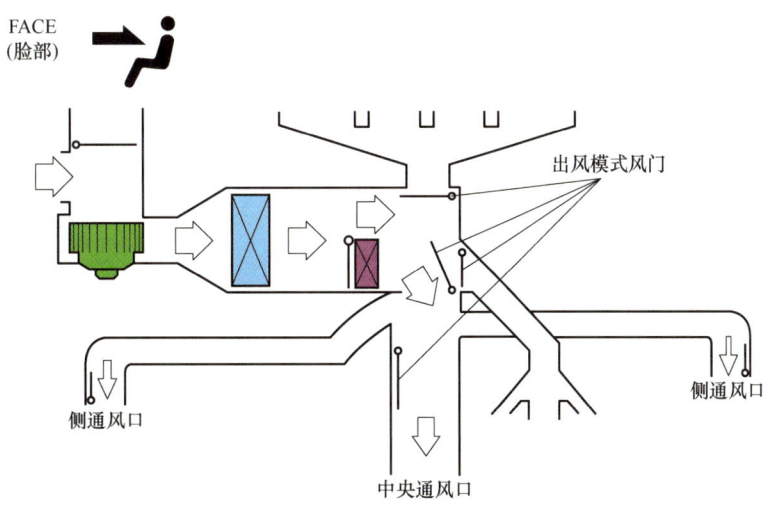

图 3-10　出风模式旋钮至 FACE 模式时气流流向

（2）FACE+FOOT（脸部与脚部）模式　当驾驶人操纵出风模式旋钮至 FACE+FOOT（脸部与脚部）模式时，旋钮带动拉索拉动出风模式风门控制机构，使模式风门转到 FACE+FOOT 位置。如图 3-11 所示，在 FACE+FOOT 位置时，除霜风门封闭除霜出风口，脚部风门打开脚部出风口，中央与侧通风风门仍然打开，因此，气流从中央与侧通风口和脚部出风口吹出。

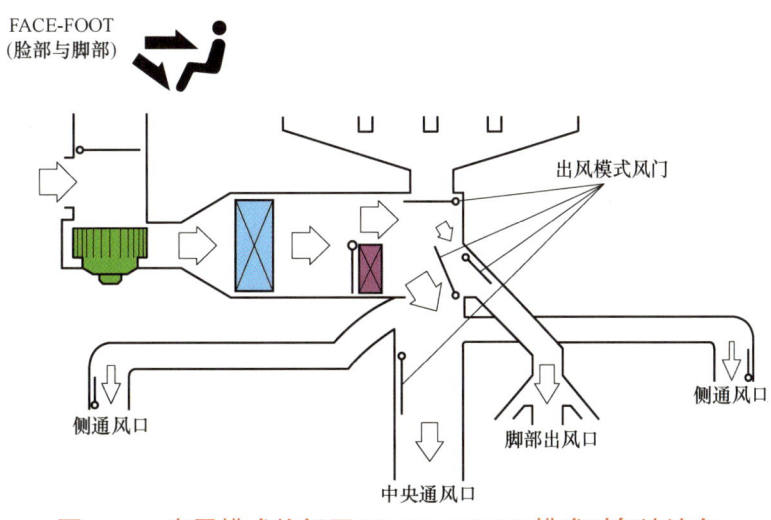

图 3-11　出风模式旋钮至 FACE+FOOT 模式时气流流向

（3）FOOT（脚部）模式　当驾驶人操纵出风模式旋钮至FOOT（脚部）模式时，旋钮带动拉索拉动模式风门控制机构，使模式风门转到FOOT位置。如图3-12所示，在FOOT位置时，除霜风门关闭除霜出风口，中央与侧通风风门关闭中央与侧通风出风口，仅脚部风门打开。因此，气流经脚部出风口吹出（部分车型侧通风口仍有少量的风吹出）。

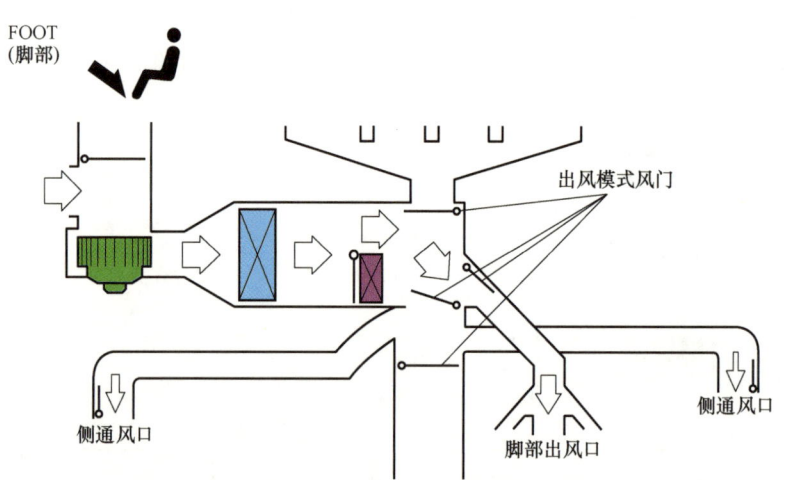

图3-12　出风模式旋钮至FOOT模式时气流流向

（4）FOOT+DEF（脚部与除霜）模式　当驾驶人操纵出风模式旋钮至FOOT+DEF（脚部与除霜）模式时，旋钮带动拉索拉动出风模式风门控制机构，使出风模式风门转到FOOT+DEF位置。如图3-13所示，在FOOT+DEF位置时，除霜风门打开除霜出风口，中央与侧通风风门关闭中央与侧通风出风口，脚部风门打开脚部出风口，因此，气流从脚部和风窗玻璃除霜出风口吹出。

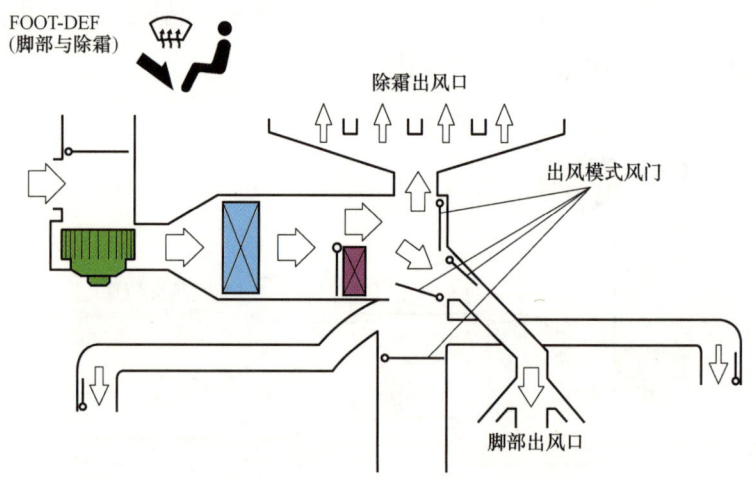

图3-13　出风模式旋钮至FOOT+DEF模式时气流流向

（5）DEF（除霜）模式　当驾驶人操纵出风模式旋钮至DEF（除霜）模式时，旋钮带动拉索拉动出风模式风门控制机构，使出风模式风门转到DEF位置。如图3-14

所示,在 DEF 位置时,除霜风门打开除霜出风口,中央与侧通风风门关闭中央与侧通风出风口,脚部风门关闭脚部出风口。因此,气流从除霜出风口吹出。

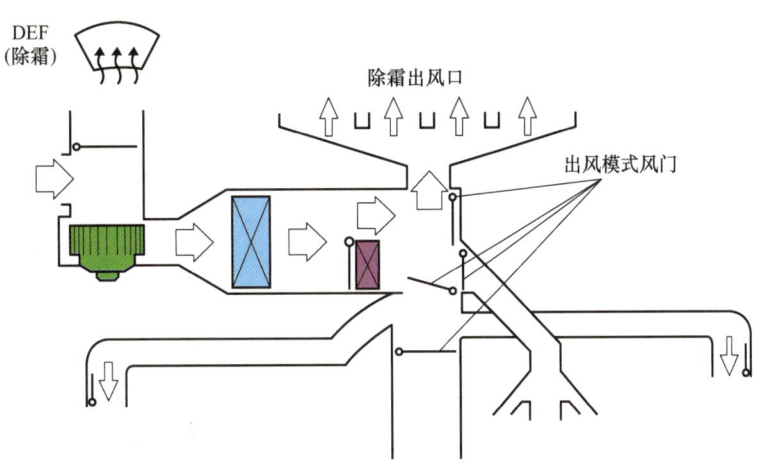

图 3-14　出风模式旋钮至 DEF 模式时气流流向

三、空调控制系统

汽车空调的控制主要包括鼓风机控制、压缩机控制、怠速提升控制和冷却风扇控制等几个方面。

1. 鼓风机控制

鼓风机如图 3-15 所示,它由直流电动机和笼型风扇组成。在工作时,电动机驱动笼型风扇,推动空气通过蒸发器和加热器,目前汽车空调中均是通过外接鼓风机电阻或晶体管的方式来控制直流电动机的转速。

（1）**鼓风机电阻控制方式**　鼓风机电阻（图 3-16）串联在鼓风机开关与鼓风机电动机之间,其电压降被用于改变电动机的端电压,限制流过电动机的电流,从而控制电动机的转速,调节空气流量。

图 3-15　鼓风机

图 3-16　鼓风机电阻

当电动机运转时,电阻会变热,需要冷却。因此,鼓风机电阻安装在蒸发箱外壳内使之通风良好。

外接鼓风机电阻控制方式的电路图如图 3-17 所示。当鼓风机开关旋到 LO 档时，鼓风机继电器线圈通电，使鼓风机继电器触点吸合，流经鼓风机电动机的电流经过三个电阻后直接搭铁，电流最小，转速也最低；当鼓风机开关旋到 2 档时，鼓风机继电器线圈继续通电，鼓风机继电器触点继续吸合，流经鼓风机电动机的电流经过两个电阻后再经鼓风机开关搭铁，电流增加，转速也增加；当鼓风机开关旋到 3 档时，流经鼓风机电动机的电流经过一个电阻后再经鼓风机开关搭铁，电流再增加，转速也再增加；当鼓风机开关旋到 HI 档时，流经鼓风机电动机的电流由鼓风机开关直接搭铁，未经过电阻，电流最大，转速也最高。

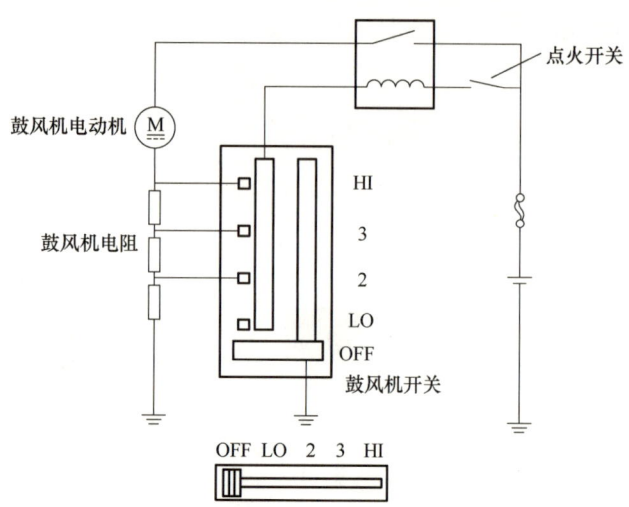

图 3-17 外接鼓风机电阻控制方式的电路图

（2）晶体管控制方式　图 3-18 为通用威朗汽车鼓风机控制电路图，鼓风机控制器内有一个大功率晶体管，它利用晶体管可放大的特性，通过改变晶体管基极电流的大小使鼓风机在不同转速下工作，晶体管基极电流的大小由空调 ECU 控制。

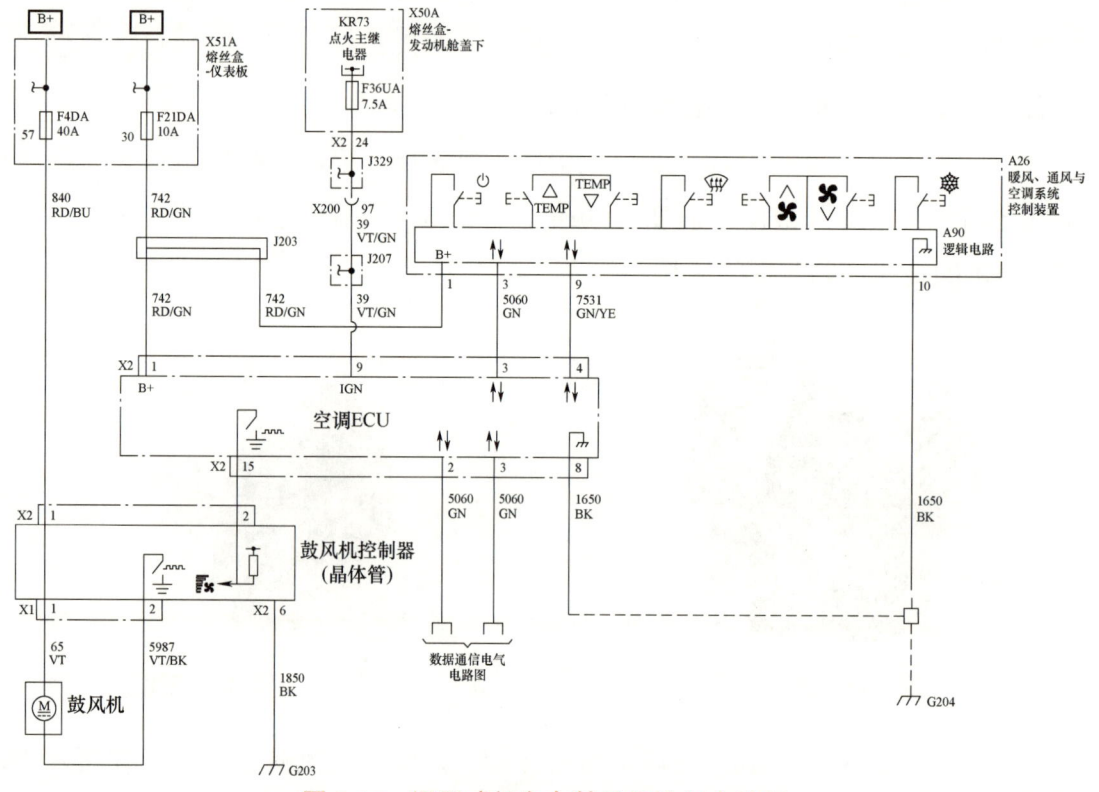

图 3-18 通用威朗汽车鼓风机控制电路图

2. 压缩机控制

（1）空调压力开关　空调压力开关安装在制冷系统的高压侧，有的安装在储液干燥器上，有的安装在高压管路上，如图3-19所示。

空调压力开关的作用是在检测到制冷循环系统中的压力异常时，使压缩机停止工作，防止故障扩大，保护制冷循环系统中的部件。

空调压力开关可以分成低压开关和高压开关，部分车型空调制冷系统只安装一个低压开关，部分车型安装一个低压与高压组合开关。

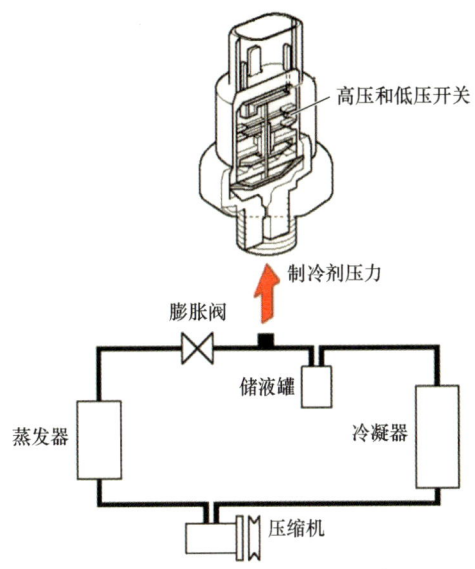

图3-19　空调压力开关的安装位置

1）低压开关：当空调制冷系统泄漏或制冷剂非常少时，压缩机如果继续工作会造成其损坏。低压开关的作用是当压力低于200kPa时，低压开关断开，强行切断压缩机的控制电路，使压缩机停止工作。单独的低压开关是常开的，安装到制冷系统中，制冷剂的压力（200kPa以上）会使其闭合，压力过低就会断开。

2）高压开关：当冷凝器散热不够或当制冷剂加入量过多时，制冷循环中的制冷剂压力可能变得异常高，造成制冷系统部件损坏。高压开关的作用是当制冷剂压力超过3.1MPa时，高压开关断开，强行切断压缩机的控制电路，使压缩机停止工作。单独的高压开关是常通的，当压力高于设定值（3.1MPa）时就会断开。

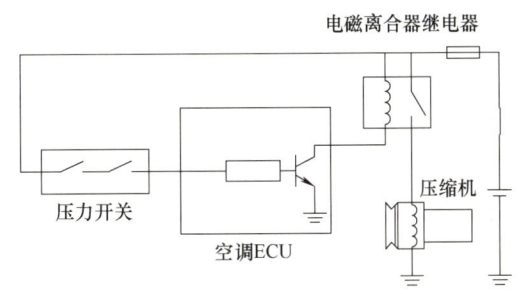

图3-20　空调压力开关控制压缩机的电路图

空调压力开关控制压缩机的电路图如图3-20所示，低压开关与高压开关串联在一起，当制冷系统压力正常时，两个开关都处于接通状态，空调ECU接收开关电压信号后，控制晶体管通基极电流，晶体管工作，电磁离合器继电器线圈通电，触点吸合，压缩机工作。当制冷系统压力过高或过低时，高压开关或低压开关断开，空调ECU无法接收开关电压信号，控制晶体管基极电流断开，电磁离合器继电器断电，压缩机停止工作。

（2）空调压力传感器　空调压力传感器与空调压力开关安装位置相同。由于空调压力开关只检测高、低两个异常点，因此，当前很多车型采用压力传感器替代空调压力开关，空调压力传感器可以一直监测制冷系统压力并向空调 ECU 发送信号。

空调压力传感器由空调 ECU 提供 5V 标准电源，如图 3-21 所示，内部有一个压敏电阻，当空调制冷系统的压力发生变化时，压敏电阻的阻值发生变化，再通过内部放大电路放大后输出一个与制冷剂压力成正比的电压信号给空调 ECU，如图 3-22 所示。当空调 ECU 检测到高压侧的压力低于 200kPa 或高于 3000kPa 时，会使压缩机停止工作；当检测到制冷剂压力高于 1700kPa 时，会使冷凝器风扇高速运转。

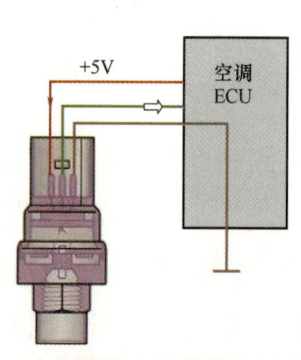

图 3-21　空调压力传感器与连接电路

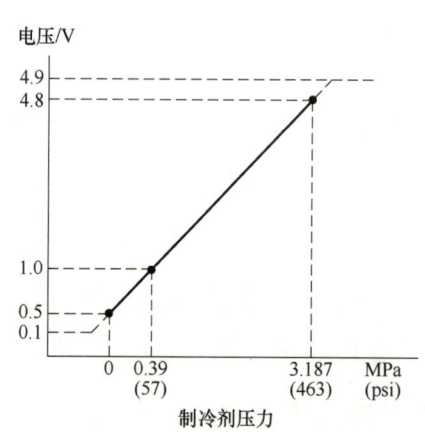

图 3-22　空调压力传感器输出信号

（3）蒸发器温度传感器　蒸发器温度传感器的作用是通过感测蒸发器的表面温度，将温度变化信号转化成电信号，并输送给空调 ECU，以实现压缩机的通断控制，防止蒸发器结冰。

蒸发器温度传感器位于蒸发器芯体的出风侧，通过塑料支架直接插装在蒸发器散热片上，如图 3-23 所示。传感器的插头安装在蒸发器箱体上，导线穿过蒸发器外壳体。

蒸发器温度传感器是负温度系数的热敏电阻，当蒸发器温度升高时，其阻值下降；当蒸发器温度降低时，其阻值增加，变化关系如图 3-24 所示。

蒸发器温度传感器控制压缩机电磁离合器原理图如图 3-25 所示。蒸发器温度传感器热敏电阻通过检测蒸发器出风的温度来改变阻值，进而控制压缩机的通断，当蒸发器出口温度大于 3~5℃时，空调 ECU 控制电磁离合器继电器线圈通电，压缩机运行；当蒸发器出口温度下降到 1~2℃时，空调 ECU 控制电磁离合器线圈断电，压缩机停止运行，防止蒸发器结冰。待蒸发器温度上升后，又可以恢复继电器供电，使压缩机运行。

图3-23 蒸发器温度传感器的安装位置

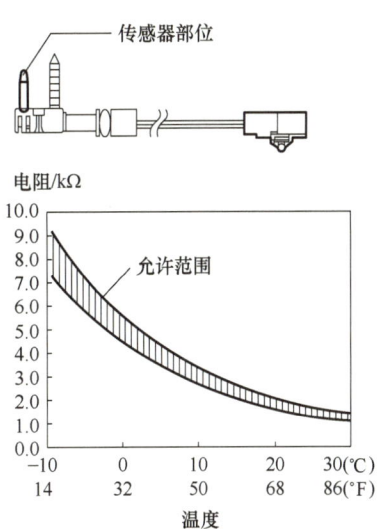

图3-24 蒸发器温度传感器温度与阻值变化关系

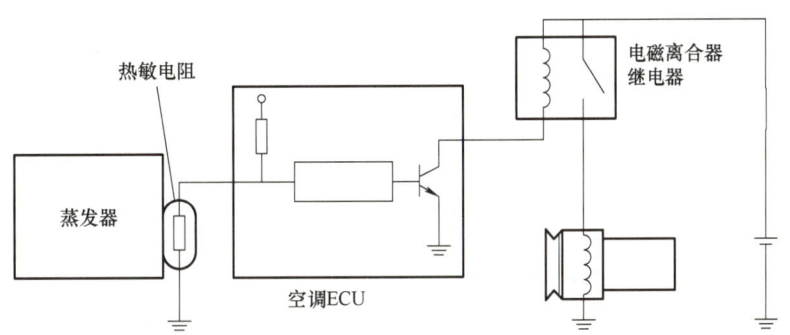

图3-25 蒸发器温度传感器控制压缩机电磁离合器原理图

3. 怠速提升控制

发动机在怠速时输出功率较小，如果在此状态下再驱动压缩机，发动机增加过量的负载会导致发动机抖动甚至熄火。因此，空调工作时，发动机ECU接到空调ECU发出的工作信号，如果发动机在怠速时，会将怠速控制阀打开少许，增加进气量，使发动机转速提升约100r/min，该转速也称为空调怠速，约为900r/min。控制过程如图3-26所示。

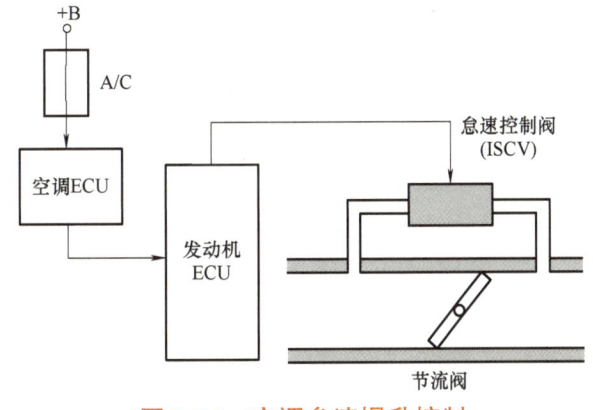

图3-26 空调怠速提升控制

4. 冷却风扇控制

当空调制冷系统工作时，冷却风扇必须运转，加强对冷凝器的散热。部分车型在散热器后方安装一个风扇；部分车型安装两个风扇，即冷凝器风扇和散热器风扇，如图3-27所示。

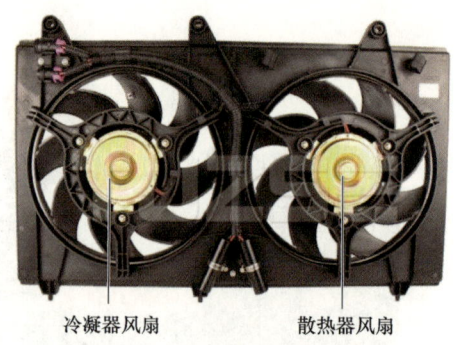

图 3-27 双风扇冷却的结构

风扇都是由直流电动机和扇叶两部分组成的，不同车型风扇控制电路不同，但主要有继电器与电阻控制式和晶体管控制式两种，目前采用晶体管控制冷却风扇转速的车型越来越多，图3-28为丰田卡罗拉冷却风扇控制电路。在风扇控制器中有一个大功率晶体管来控制风扇电动机的电流。当空调制冷系统工作后，空调ECU向发动机ECU发送工作信号，发动机ECU发送信号到风扇控制器，冷却风扇低速运转；当空调压力传感器检测到制冷系统压力过高后，空调ECU向发动机ECU发送空调压力过高信号，发动机ECU通过风扇控制器，控制冷却风扇高速运转，加强对冷凝器的散热。

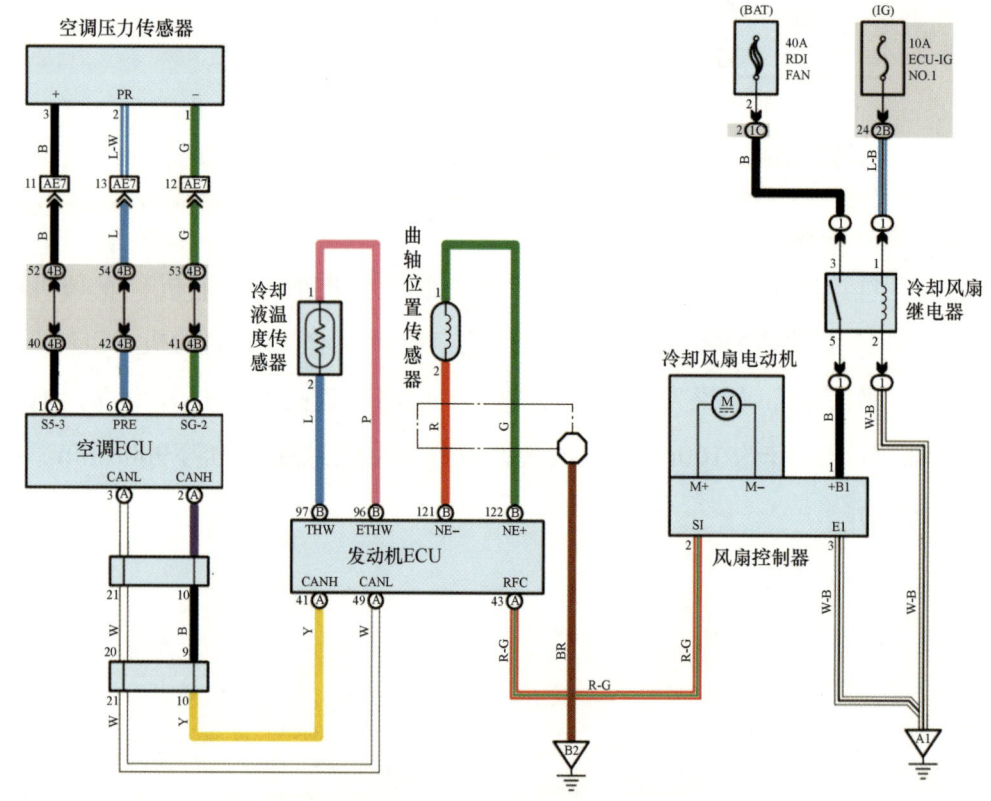

图 3-28 丰田卡罗拉冷却风扇控制电路

四、空调系统电路

图3-29为丰田卡罗拉空调系统电路图。

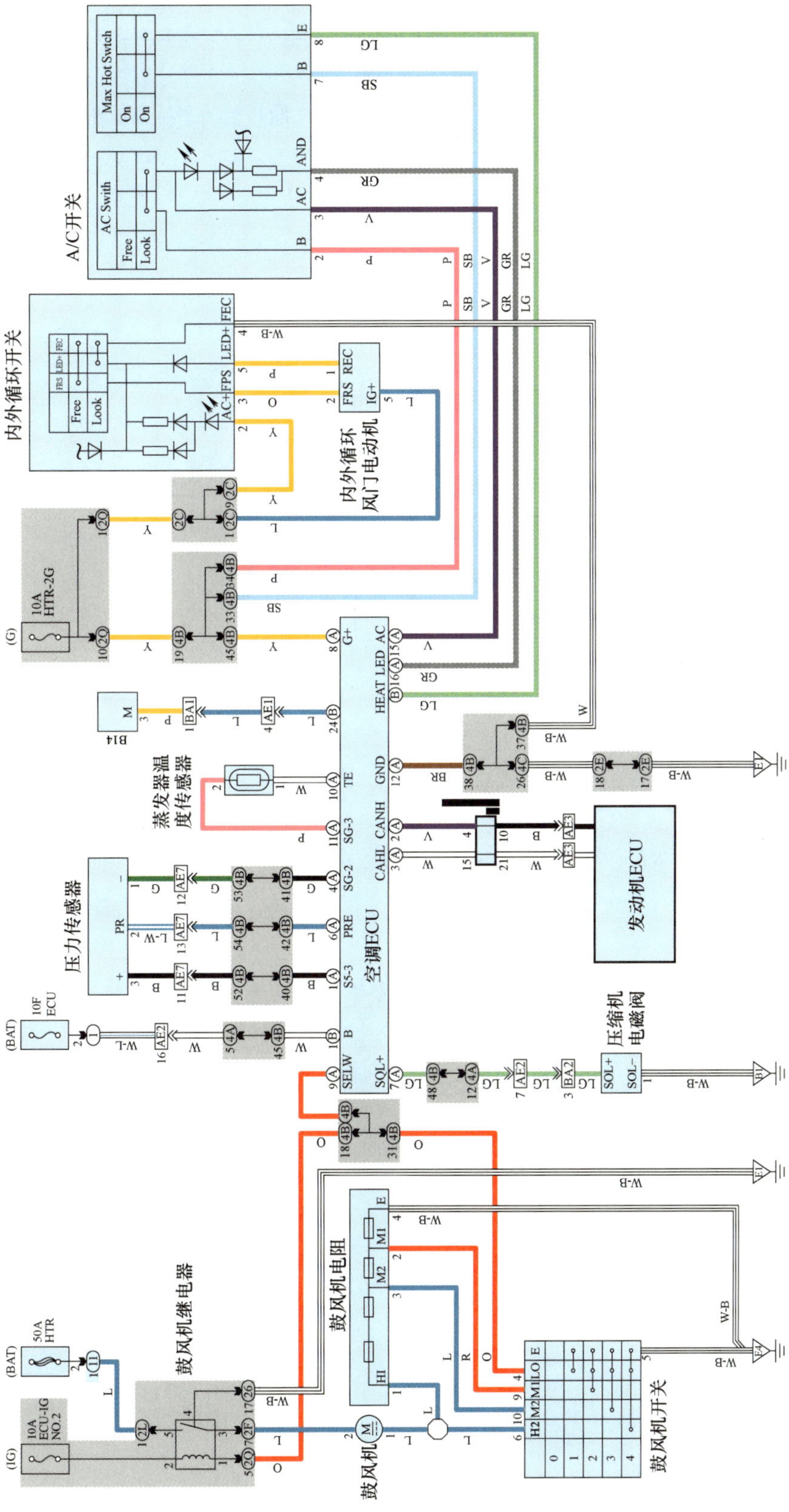

模块三 过滤通风系统与空调控制系统的检查

图 3-29 丰田卡罗拉空调系统电路图

| 过滤通风系统与空调控制系统的检查 | 学习任务单 | 班级：
姓名： |

1. 汽车空调系统中能除去空气中悬浮尘埃的装置是_____，它一般安装在鼓风机的_____。

2. 外循环模式是利用鼓风机将_____的空气抽吸到车内，内循环模式鼓风机抽吸的是_____的空气。

3. 写出图中数字所指零件的名称。

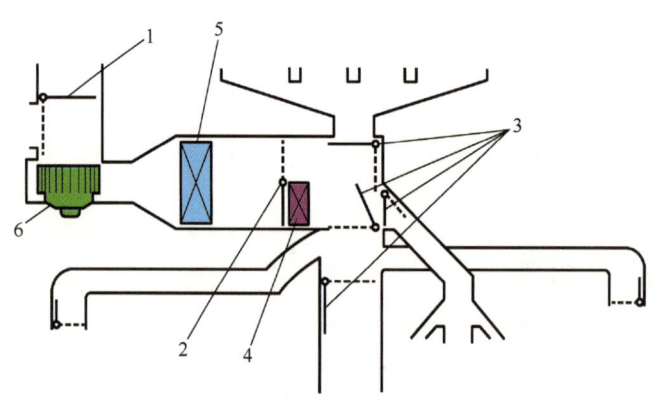

1. _____   2. _____   3. _____

4. _____   5. _____   6. _____

4. 当空调系统工作正常时，若需要改变出风温度，可以调整_____的位置。

5. 空调出风模式有_____、脸部与脚部、_____、脚部与除霜、_____五种模式。

6. 鼓风机由_____和笼型风扇组成。汽车空调通风系统是通过鼓风机的_____来控制出风量的。

7. 发动机怠速时打开空调，发动机转速会_____。

8. 当打开空调后，冷却风扇应该_____。

模块三 过滤通风系统与空调控制系统的检查

实训任务 过滤通风系统与空调控制系统的检查

实训器材

丰田卡罗拉轿车、万用表、空调歧管压力表、常用维修工具和维修手册等。

作业准备

车辆在工位停放周正，铺好车内和车外护套等。

操作步骤

一、通风系统风门功能的检查

1. 内外循环风门功能的检查

1）起动发动机，将鼓风机开关旋到最高档，按下内外循环开关到外循环位置（此时开关指示灯不亮），如图 3-30 所示。

2）用手感觉（或用风速计测量）车外风窗玻璃下外循环进风口应有气流吸入，如图 3-31 所示。

图 3-30　设置外循环

图 3-31　进风口应有气流吸入

3）再次按下内外循环开关，此时应位于内循环位置（开关指示灯亮），如图 3-32 所示。

4）用手感觉车外风窗玻璃下外循环进风口应没有气流吸入。否则说明内外循环风门工作不正常，需要进一步检测风门与电动机是否损坏。

2. 空气混合风门功能的检查

1）起动发动机，将鼓风机开关旋到最高档，打开 A/C 开关，将温度选择旋钮转到最冷位置，

图 3-32　设置内循环

并运转发动机 3~5min，使发动机冷却液温度升到正常。

2）用手感觉（或用温度计测量）中央出风口和侧通风口应有较凉爽的风吹出。

3）将温度选择旋钮转到中间位置，用手感觉中央出风口和侧通风口应有较暖和的风吹出，如图 3-33 所示。

4）再将温度选择旋钮转到最热位置，用手感觉中央出风口和侧通风口应有较热的风吹出。否则说明空气混合风门工作不正常，需要进一步检测风门是否卡住或损坏。

3. 出风模式风门功能的检查

1）起动发动机，将鼓风机开关旋到最高档，将出风模式风门旋转到脸部模式。

2）用手感觉仪表板中央出风口和侧出风口应有较大的气流吹出，用手感觉脚部出风口和除霜出风口应没有气流吹出，如图 3-34 所示。

图 3-33　将温度选择旋钮转到中间位置

图 3-34　用手感觉气流

3）将出风模式风门旋转到脸部与脚部模式。

4）用手感觉仪表板中央出风口应有气流吹出，用手感觉脚部出风口也应有气流吹出，除霜出风口应没有气流吹出。

5）将出风模式风门旋转到脚部模式。

6）用手感觉仪表板中央出风口应没有气流吹出，用手感觉脚部出风口应有较大气流吹出（图 3-35），除霜出风口应没有气流吹出。

7）将出风模式风门旋转到脚部与除霜模式。

8）用手感觉仪表板中央出风口应没有气流吹出，用手感觉脚部出风口应有气流吹出，除霜出风口也有气流吹出。

9）将出风模式风门旋转到除霜模式。

10）用手感觉仪表板中央出风口应没有气流吹出，用手感觉脚部出风口应没有气流吹出，除霜出风口应有较大气流吹出，如图 3-36 所示。

图 3-35　感觉脚部出风口气流

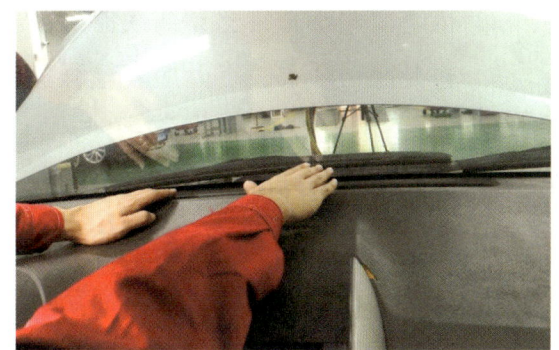

图 3-36　感觉除霜出风口气流

二、空调滤清器的检查与更换

1）拆下杂物箱的固定螺钉。

2）取下杂物箱阻尼器。

3）拿出杂物箱。

4）按下空调滤清器盖板卡扣，并取下盖板，如图 3-37 所示。

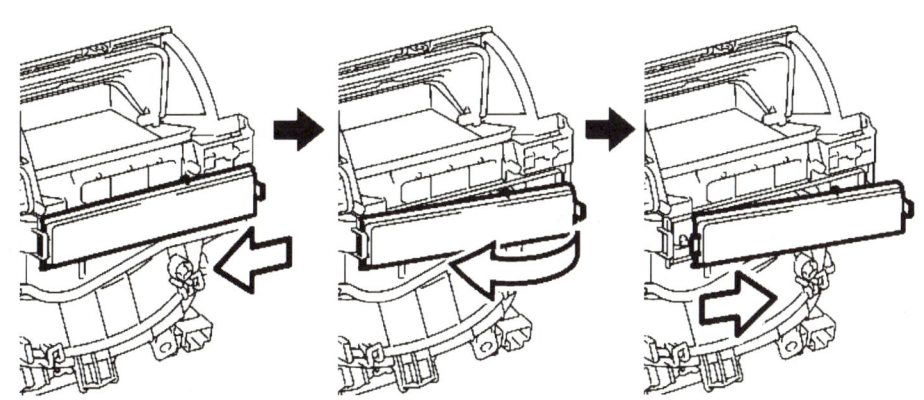

图 3-37　取下盖板

5）取出空调滤清器，如果较脏应更换滤清器，如图 3-38 所示。

6）用压缩空气与吹尘枪按与气流相反的方向吹净空调滤清器上的灰尘。

7）安装空调滤清器，注意箭头方向与气流方向一致。

8）按与拆卸相反的顺序安装好空调滤清器盖板和杂物箱。

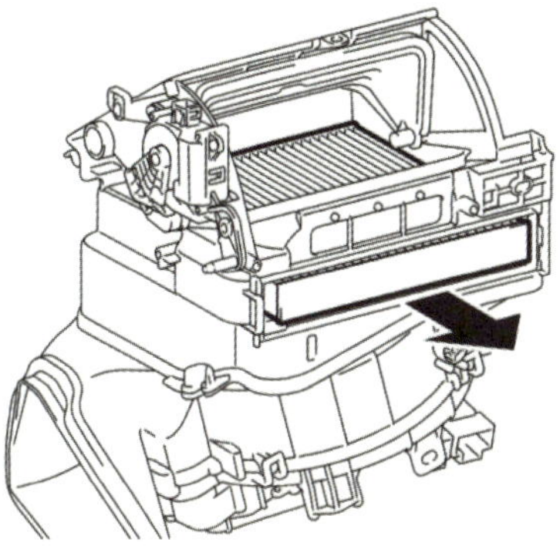

图 3-38　更换空调滤清器

三、空调压力传感器的检测

1）将空调歧管压力表连接到制冷系统中，并读出高压侧压力值。

2）拔下空调压力传感器插接器插头。

3）打开起动开关,将万用表量程旋转到直流电压测量。

4）测量压力开关插接器3号与1号端子,电压应为5V,如图3-39所示。

5）将3节1.5V干电池串联,并将串联后的正极（+）引线连接到空调压力传感器端子3,将负极（-）引线连接到端子1。

6）将万用表正极（+）引线连接到端子2上,负极（-）引线连接到端子1上。

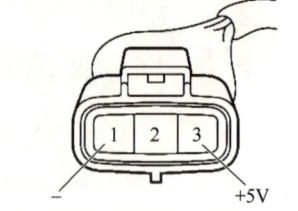

图3-39 测量压力开关插接器3号与1号端子电压

7）测量电压值。

8）查找维修手册,再根据空调歧管压力表测量的压力对应的标准电压值,与万用表测量的电压值对比,判断空调压力传感器是否正常。

四、鼓风机的拆装与检测

1. 鼓风机的拆卸

1）拆下杂物箱总成。

2）拔下鼓风机的线束插接器。

3）选用十字螺丝刀拆下鼓风机的四个固定螺钉,如图3-40所示。

4）取下鼓风机总成。

2. 鼓风机的检测

1）检查鼓风机的笼型风扇应无裂纹和扇叶脱落。

2）用万用表测量鼓风机电动机两个端子的阻值为2~5Ω,如图3-41所示。

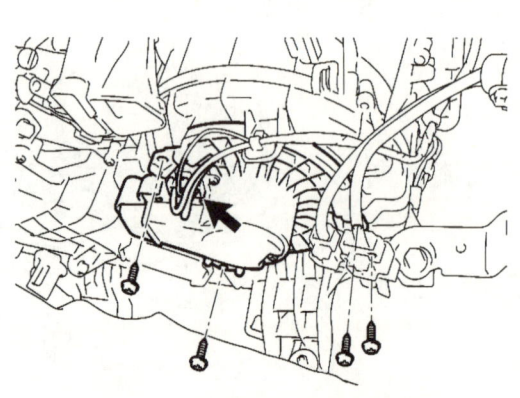

图3-40 拆下四个固定螺钉

图3-41 测量鼓风机电动机两个端子的阻值

3）用万用表测量鼓风机电动机某一端子与电动机外壳的阻值应为无穷大。

3. 鼓风机的安装

按与拆卸相反的顺序安装鼓风机和杂物箱。

五、鼓风机电阻器的拆装与检测

1）选用十字螺丝刀从鼓风机壳体上拆下鼓风机电阻器的两个固定螺钉。

2）取下鼓风机电阻器，如图 3-42 所示。

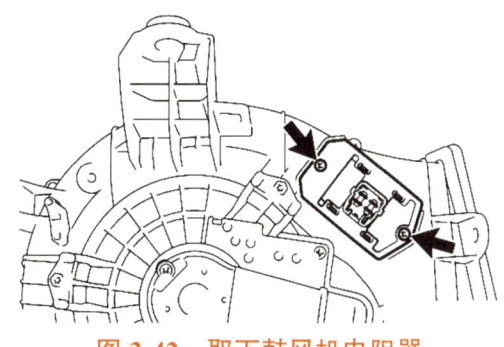

图 3-42　取下鼓风机电阻器

3）用万用表电阻档测量鼓风机电阻器端子的阻值，测量端子 1-4，阻值应为 3.12~3.60Ω；测量端子 2-4，阻值应为 1.67~1.93Ω；测量端子 3-4，阻值应为 2.60~3.00Ω，如图 3-43 所示。如测量阻值与标准值不相符，更换鼓风机电阻器。

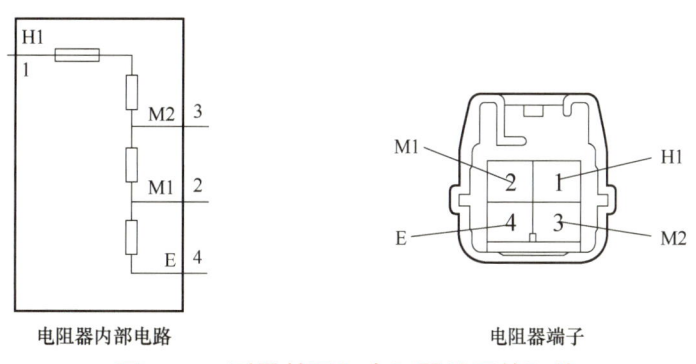

图 3-43　测量鼓风机电阻器端子的阻值

4）按与拆卸相反的顺序安装鼓风机电阻器。

六、蒸发器的拆装

1）用制冷剂鉴别仪鉴别制冷剂的成分，确认是否能够回收，如果能回收，用回收加注机回收制冷剂。

2）转动转向盘，使两前轮位于正前方，再拆下蓄电池负极端子插头。

3）拆卸刮水片与臂，拆下风窗玻璃下方的通风栅板，拆下刮水器电动机与连杆。

4)拆下制冷管路与膨胀阀的固定螺栓,分离制冷管路与膨胀阀,如图3-44所示。

5)用锂鱼钳夹住暖风水管夹并移出如图3-45所示,分离暖风进、出水管与加热器芯。

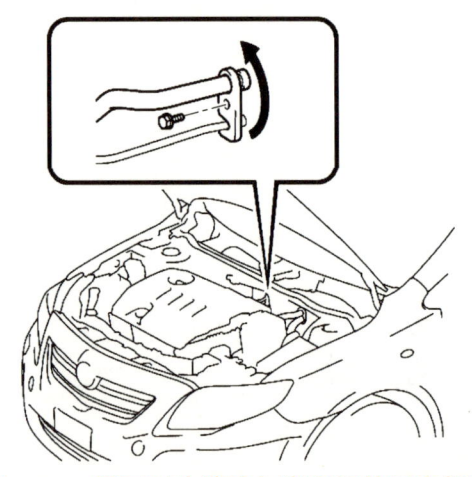
图3-44 拆下制冷管路与膨胀阀的固定螺栓

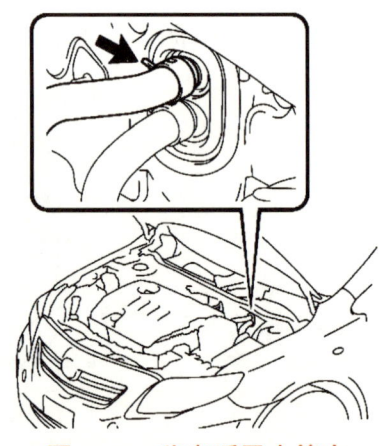
图3-45 移出暖风水管夹

6)拆下仪表板各部位的装饰板,拆下中央通风口,拆下组合仪表装饰板,再拆下组合仪表。

7)拆下杂物箱总成,拆下空调控制面板。

8)拆下前排乘客侧安全气囊总成。

9)断开与仪表板连接的所有线束插接器。

10)拆下仪表板固定螺栓并取下仪表板,如图3-46所示。

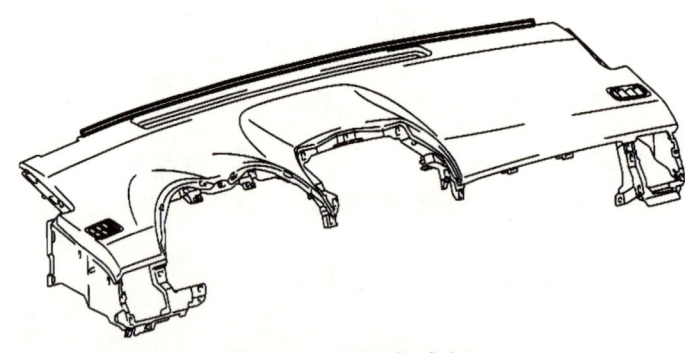
图3-46 取下仪表板

11)拆下驾驶人侧安全气囊组件,并拆下转向盘。

12)拆下组合开关与螺旋电缆。

13)在转向主轴与转向器连接处做好装配标记,松开转向主轴与转向器的联接螺栓,并断开转向主轴与转向器。

14)拆下转向柱的固定螺栓,并取下转向柱。

15）断开仪表板加强件上的所有线束插接器与连接管路，并拆下所有的固定螺栓，取下仪表板加强件，如图 3-47 所示。

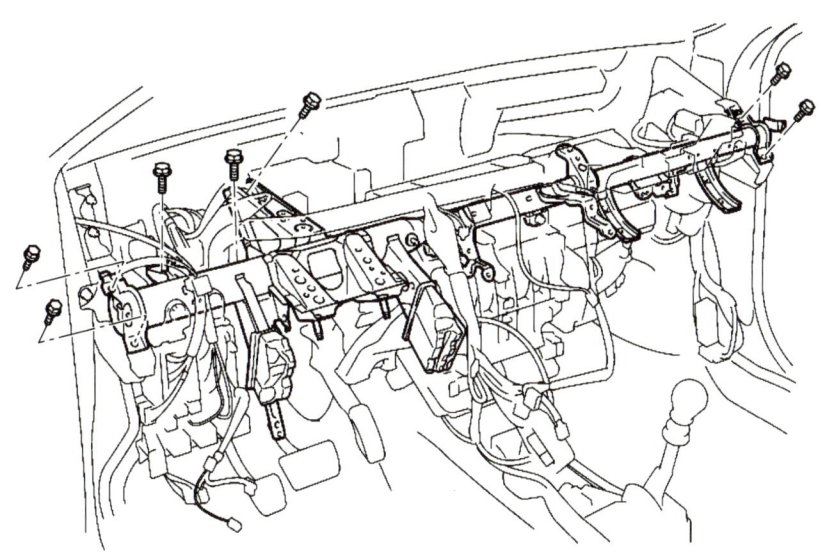

图 3-47　取下仪表板加强件

16）拆下所有出风口的通风连接管道。

17）拆下鼓风机线束插接器，分离线束与空调通风箱，拆下空调通风箱的所有固定螺栓，如图 3-48 所示。

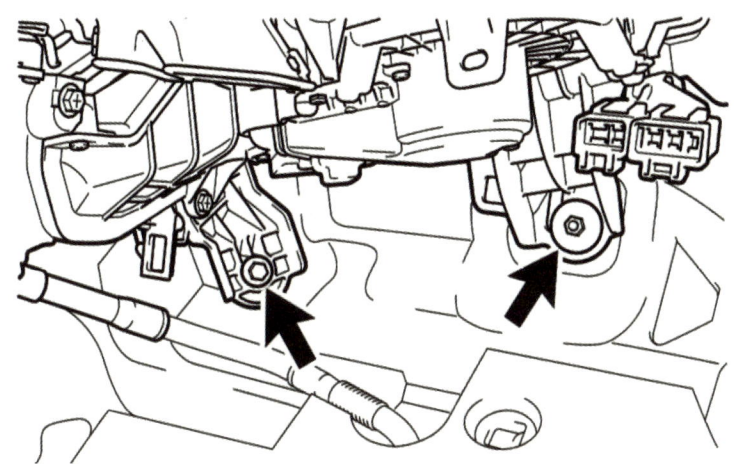

图 3-48　拆下所有固定螺栓

18）取下空调通风箱总成，分离暖风箱与鼓风机壳体。

19）拆下所有风门电动机或拉索。

20）拆下膨胀阀，分解空调暖风箱，取出蒸发器总成，拆下蒸发器温度传感器。

21）按与拆卸相反的顺序安装新的蒸发器，按标记装好转向主轴，并按维修手册的标准要求拧紧固定螺栓，如图 3-49 所示。

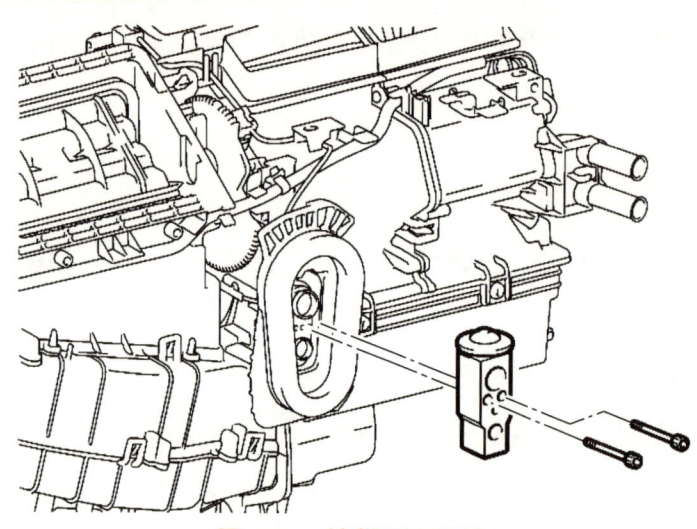

图 3-49　拧紧固定螺栓

22）安装完毕后检查仪表各指示灯工作是否正常，各系统功能是否正常等。

23）对制冷系统进行抽真空检漏，确保制冷系统没有泄漏。

24）按维修手册的标准加注定量的冷冻机油与制冷剂。

25）检测空调制冷系统工作是否正常。

实训任务总结：

模块三　过滤通风系统与空调控制系统的检查

过滤通风系统与空调控制系统的检查		工作任务单		班级：	
^		^		姓名：	

1. 记录车辆信息

品牌		整车型号		生产年月	
发动机型号		发动机排量		行驶里程	
车辆识别代号					

2. 通风系统风门功能的检查

检查项目	记录	检查项目	记录
内循环	□正常　□异常	外循环	□正常　□异常

3. 空气混合风门功能的检查

检查项目	记录	检查项目	记录
最冷	□正常　□异常	最热	□正常　□异常

4. 出风模式风门功能的检查

检查项目	记录	检查项目	记录
脸部模式	□正常　□异常	脚部模式	□正常　□异常
脸部与脚部模式	□正常　□异常	脚部与除霜模式	□正常　□异常
除霜模式	□正常　□异常		

5. 空调滤清器的检查更换

空调滤清器		□清洁　□更换

6. 空调压力传感器、鼓风机及鼓风机电阻器的拆装与检测

检查项目	检测数据	判定	维修措施
空调压力传感器		□正常　□异常	□维修　□更换
鼓风机		□正常　□异常	□维修　□更换
鼓风机电阻器		□正常　□异常	□维修　□更换

7. 蒸发器的拆装

作业项目	记录	作业项目	记录
蒸发器拆装	□执行　□否	制冷剂回收量	
冷冻机油回收量		冷冻机油加注量	
泄漏检测	□正常　□异常	制冷剂加注量	

8. 维修手册的查询

序号	部件名称	章节及页码	规格（公制）
1		章　　　　页	
2		章　　　　页	
3		章　　　　页	

81

汽车空调与舒适系统技术（初级） 第 2 版

过滤通风系统与空调控制系统的检查		实习日期：	
姓名：	班级：	学号：	
自评：☐熟练 ☐不熟练	互评：☐熟练 ☐不熟练	师评：☐合格 ☐不合格	导师签名：
日期：	日期：	日期：	

过滤通风系统与空调控制系统的检查【评分细则】

序号	评分项	得分条件	分值	评分要求	自评	互评	师评
1	安全/7S/态度	☐1. 能进行工位 7S 操作 ☐2. 能进行设备和工具安全检查 ☐3. 能进行车辆安全防护操作 ☐4. 能进行工具清洁、校准、存放操作 ☐5. 能进行三不落地操作	15	未完成项，每项扣 3 分	☐熟练 ☐不熟练	☐熟练 ☐不熟练	☐合格 ☐不合格
2	专业技能能力	作业 1 ☐1. 能正确地检查内循环功能 ☐2. 能正确地检查外循环功能 ☐3. 能正确地检查最冷混合风门功能 ☐4. 能正确地检查最热混合风门功能 ☐5. 能正确地检查出风模式风门功能 ☐6. 能正确地检查脸部模式功能 ☐7. 能正确地检查脚部模式功能 ☐8. 能正确地检查除霜模式功能 ☐9. 能正确地拆装空调滤清器 作业 2 ☐1. 能正确地拆装空调压力传感器 ☐2. 能正确地检测空调压力传感器 ☐3. 能正确地拆装鼓风机 ☐4. 能正确地检测鼓风机 ☐5. 能正确地拆装鼓风机电阻器 ☐6. 能正确地检测鼓风机电阻器 作业 3 ☐1. 能正确地拆装蒸发器 ☐2. 能正确地检查系统泄漏情况 ☐3. 能正确地加注冷冻机油 ☐4. 能正确地加注制冷剂	50	未完成项，每项扣 3 分，扣分不得超过 50 分	☐熟练 ☐不熟练	☐熟练 ☐不熟练	☐合格 ☐不合格
3	工具及设备的使用能力	☐1. 能正确地选用维修工具 ☐2. 能正确地使用维修工具 ☐3. 能正确地使用万用表 ☐4. 能正确地使用歧管压力表	10	未完成项，每项扣 3 分，扣分不得超过 10 分	☐熟练 ☐不熟练	☐熟练 ☐不熟练	☐合格 ☐不合格
4	资料、信息的查询能力	☐1. 能正确地使用维修手册查询资料 ☐2. 能正确地记录查询资料章节及页码 ☐3. 能正确地记录所需维修信息	10	未完成项，每项扣 3 分	☐熟练 ☐不熟练	☐熟练 ☐不熟练	☐合格 ☐不合格
5	数据判断和分析能力	☐1. 能判断通风系统风门功能是否正常 ☐2. 能判断空气混合风门功能是否正常 ☐3. 能判断出风模式风门功能是否正常 ☐4. 能判断/分析空调滤清器使用情况	10	未完成项，每项扣 2 分	☐熟练 ☐不熟练	☐熟练 ☐不熟练	☐合格 ☐不合格
6	表单填写与报告的撰写能力	☐1. 字迹清晰 ☐2. 语句通顺 ☐3. 无错别字 ☐4. 无涂改 ☐5. 无抄袭	5	未完成项，每项扣 1 分	☐熟练 ☐不熟练	☐熟练 ☐不熟练	☐合格 ☐不合格

总分：

模块四

全自动空调控制系统的检查

🔧 学习目标

知识目标

1）掌握全自动空调控制系统的组成。

2）掌握全自动空调控制系统各元件的作用与安装位置。

技能目标

1）能在实车或空调系统台架上认知自动空调控制系统各部件。

2）会使用诊断仪读取全自动空调控制系统故障码与数据流。

3）会运用空调检查方法排除空调系统简易故障。

素养目标

1）能够在工作过程中与小组其他成员合作、交流，养成团队合作意识，锻炼沟通能力。

2）养成 7S 的工作习惯。

3）养成服从管理、规范作业的良好工作习惯。

🚗 任务描述

一辆丰田卡罗拉轿车用户反映：空调不制冷，需要对空调系统进行检查，确定故障部位并进行修理。

相关知识

一、全自动空调控制系统概述

全自动空调控制系统的温度可由驾驶人手动选择并实现自动维持，同时鼓风机的转速也可以自动调节，模式风门的选择全部由电动执行器来控制。它与手动空调控制系统和半自动空调控制系统最直观的区别就是控制面板上增设有"AUTO"按键和一个小的显示屏，如图 4-1 所示。

全自动空调控制系统在 AUTO 模式下的所有工作参数，包括各风门位置、鼓风机转速等均可进行自动控制。当驾驶人主动对出风模式或温度设置进行手动干预时，系统将退出 AUTO 模式，但模块还会继续监控温度变化。此时，系统进入半自动控制模式，只进行温度的自动保持。如果对温度和鼓风机转速这两个调节功能实施了手动设置，或温度被设置在最冷、最热位置，系统将会进入全手动控制模式，温度将不再被自动保持。

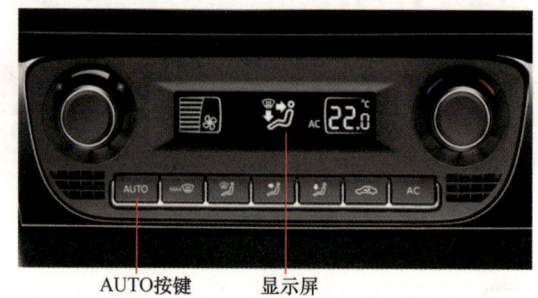

图 4-1　全自动空调控制面板

为了实现自动温度控制，全自动空调控制系统采用了多个传感器、ECU 和多个执行器的电控方式进行控制，同时具有完整的反馈电路，如图 4-2 所示。传感器和执行器与控制模块形成一套闭环控制系统，实现车内鼓风机转速、出风模式和出风温度的全自动控制。

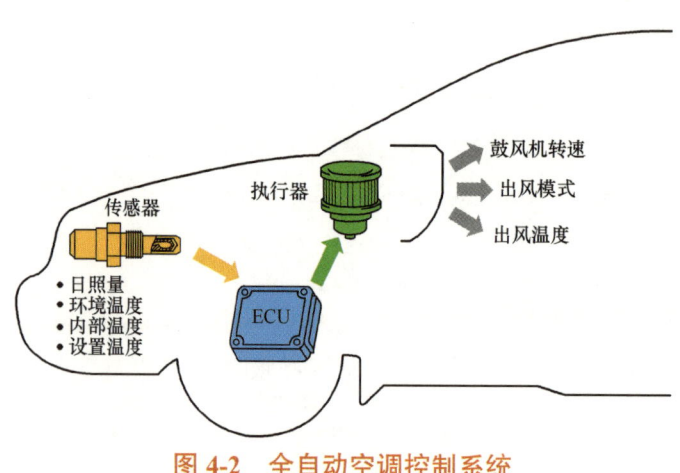

图 4-2　全自动空调控制系统

二、全自动空调控制系统的组成

全自动空调控制系统由制冷系统、暖风系统、通风系统和控制系统组成。其中制冷系统、暖风系统和通风系统与手动空调相似。全自动空调与手动空调结构的最大差别是控制系统。全自动空调控制系统主要由传感器、ECU 和执行元件组成。

全自动空调控制系统的传感器主要包括内部温度传感器、环境温度传感器、阳光辐射传感器、蒸发器温度传感器、冷却液温度传感器（向发动机 ECU 提供信号，再由发动机 ECU 转发给空调 ECU）、空调压力开关（或压力传感器）等。控制单元包括空调 ECU 和发动机 ECU，执行器包括空气混合伺服电动机、内外循环伺服电动机、出风模式伺服电动机、鼓风机和鼓风机控制器等，如图 4-3 所示。

模块四　全自动空调控制系统的检查

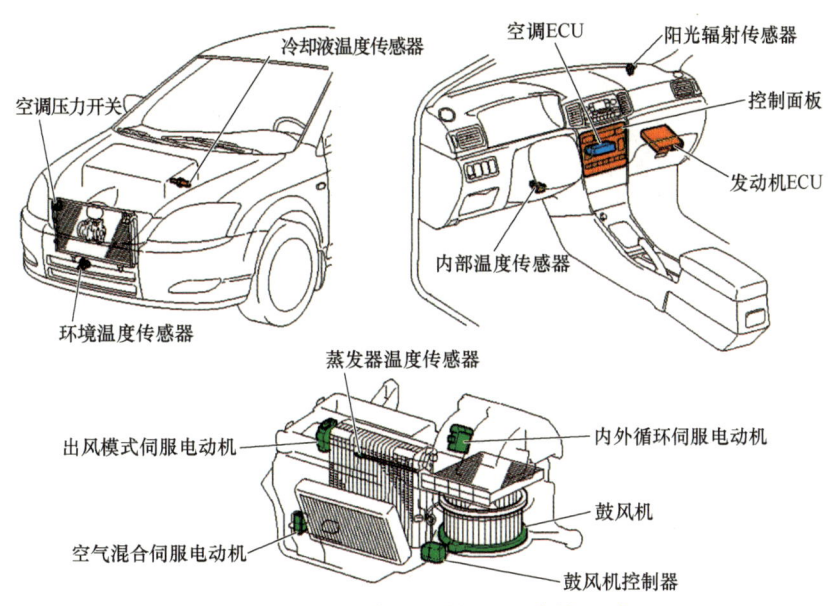

图 4-3　全自动空调控制系统的组成

全自动空调的控制原理图如图 4-4 所示，自动空调 ECU 接收各个传感器的信号后，经过计算，控制空气混合伺服电动机、出风模式伺服电动机、内外循环伺服电动机、鼓风机、鼓风机控制器和电磁离合器继电器等进行运作；同时伺服电动机上的位置传感器再将电动机控制的风门位置反馈给空调 ECU，使空调 ECU 能够准确地控制风门的位置，确保合适的温度、空气流速和出风位置等。

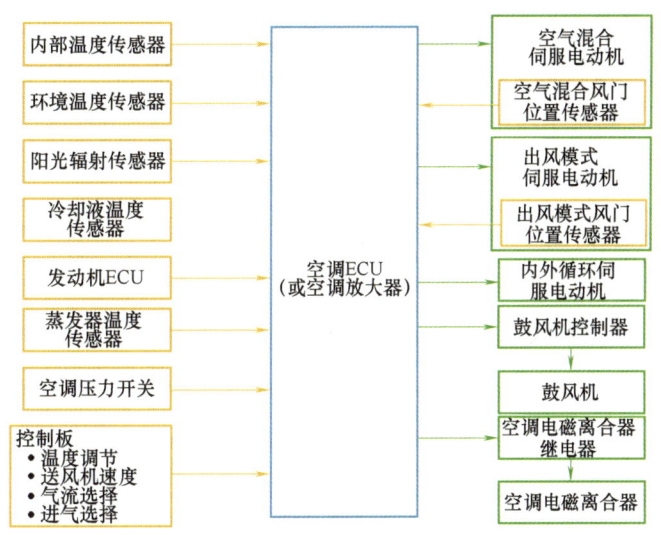

图 4-4　全自动空调的控制原理图

1. 内部温度传感器

内部温度传感器也称为车内温度传感器，它使用负温度系数的热敏电阻，安装在带有通风口的仪表板处，如图 4-5 所示。它通过测量吸入车辆内部空气的温度，进而计算出车内部的平均温度，把它用作温度控制的基础。内部温度传感器的结构、原理、输出信号与手动空调的蒸发器温度传感器类似。

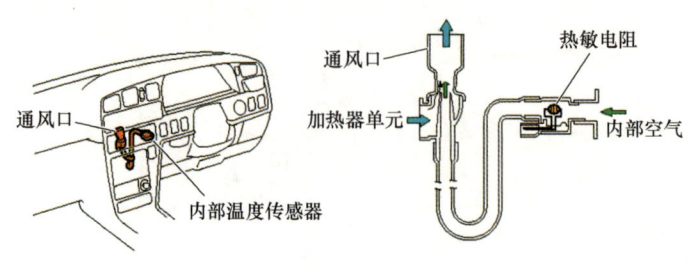

图 4-5 内部温度传感器

2. 环境温度传感器

环境温度传感器也称为车外温度传感器,它也使用负温度系数的热敏电阻,安装在冷凝器的前面,如图 4-6 所示。它用于检测外部温度,控制由外部温度变化所引起的内部温度变化。环境温度传感器的结构、原理、输出信号也与手动空调的蒸发器温度传感器类似。

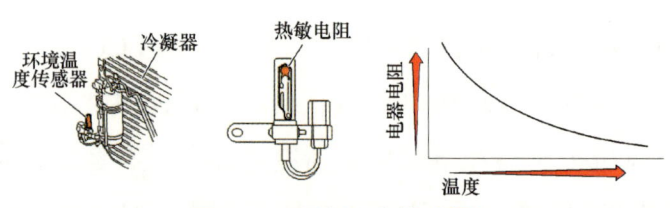

图 4-6 环境温度传感器

3. 阳光辐射传感器

阳光辐射传感器使用光敏二极管,并安装在仪表板中央易于接收阳光的位置,如图 4-7 所示,它检测日照的强度,当日照的强度增加时,传感器的输出电压值增加。用它来控制由日照变化引起的内部温度变化。

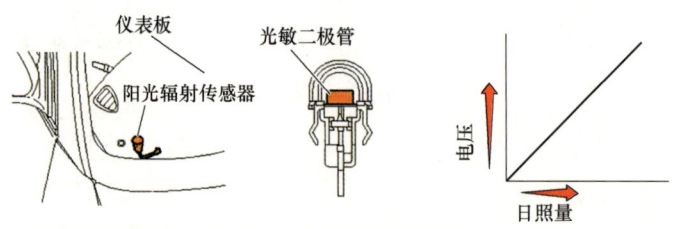

图 4-7 阳光辐射传感器

4. 蒸发器温度传感器

蒸发器温度传感器使用负温度系数热敏电阻,安装在蒸发器上,如图 4-8 所示,它用于检测从蒸发器通过后的空气温度(蒸发器的表面温度),用于防止蒸发器结冰和控制气流的温度等。

5. 风道温度传感器

风道温度传感器也使用负温度系数的热敏电阻,安装在左、右两侧通风口的风道上,如图 4-9 所示。它用于检测吹向侧通风口气流的温度,并精密地控制各气流的温度。

模块四　全自动空调控制系统的检查

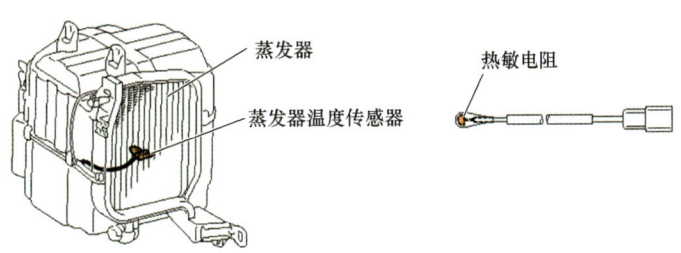

图 4-8　蒸发器温度传感器

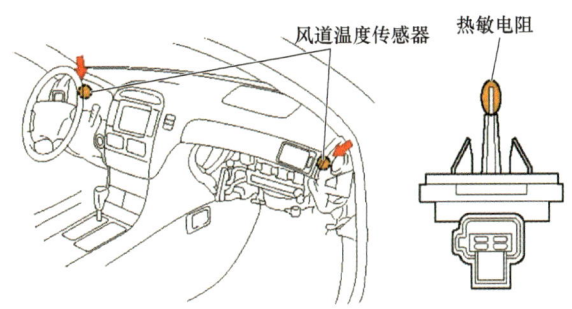

图 4-9　风道温度传感器

6. 冷却液温度传感器

冷却液温度传感器也使用负温度系数的热敏电阻，安装在发动机的出水管或气缸盖上，如图 4-10 所示。自动空调控制系统与发动机控制系统共用该传感器，冷却液温度传感器信号先送到发动机 ECU，再由发动机 ECU 传送到空调 ECU，用于温度控制和预热控制等。

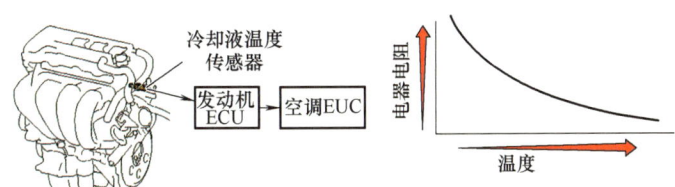

图 4-10　冷却液温度传感器

7. 内外循环伺服电动机

内外循环伺服电动机安装在内外循环风门一侧的箱体上，如图 4-11 所示，它主要由电动机、齿轮、移动盘和触点等组成。

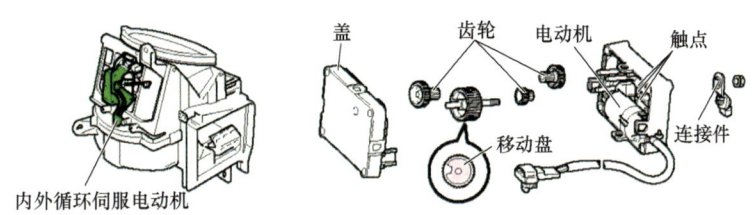

图 4-11　内外循环伺服电动机的安装位置与结构

内外循环伺服电动机控制电路图如图 4-12 所示。当按下内外循环开关时（按一下如是外循环时，再按一下就是内循环），如果此时是外循环位置，外循环开关触点接通，电动机电流经移动盘和触点B，再经外循环开关触点后形成回路，电动机旋转并带动移动盘转动，直到移动盘转动约180°，移动盘缺口到达触点B后，电流被切断，此时风门刚好遮住内循环进风口而打开了外循环进风口。当再次按下内外循环开关时，此时是内循环开关触点接通，电动机电流经移动盘和触点A，再经内循环开关触点后形成

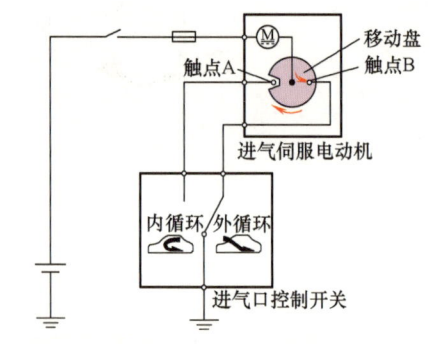

图4-12 内外循环伺服电动机控制电路图

回路，电动机旋转并带动移动盘转动，直到移动盘转动约180°，移动盘缺口到达触点A后，电流被切断，此时风门刚好遮住外循环进风口而打开了内循环进风口。

8. 空气混合伺服电动机

空气混合伺服电动机的安装位置与结构如图4-13所示，它安装在空气混合风门轴一端的壳体上，通过电动机直接驱动空气混合风门的摆动。空气混合伺服电动机包括电动机、限位器、电位计和动触点等。

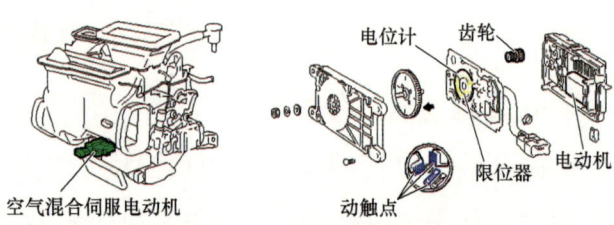

图4-13 空气混合伺服电动机的安装位置与结构

空气混合伺服电动机由ECU来的信号控制，电路如图4-14所示。当驾驶人进行温度调节时，空调ECU首先根据设置的温度及各传感器输送的信号，计算出所需的出风温度，并控制空气混合伺服电动机顺时针或逆时针转动，改变空气混合风挡的开启角度，进而改变冷、暖空气的混合比例，将出风温度调节至与设定值相符。电动机内电位计的作用是

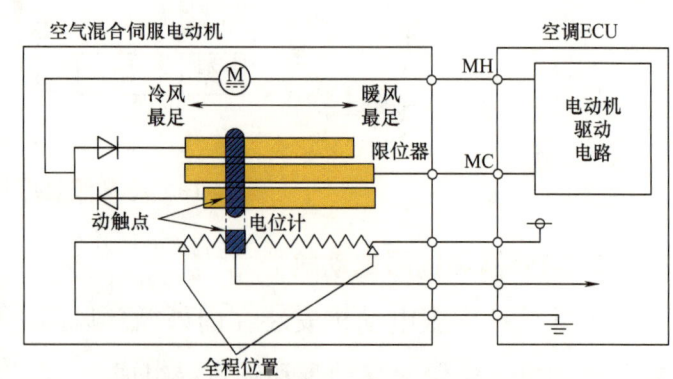

图4-14 空气混合伺服电动机控制电路

向空调ECU输送空气混合风挡的位置信号，限位器的作用是防止电动机转动角度过大，造成风门损坏。

9. 出风模式伺服电动机

出风模式伺服电动机也叫作气流方式伺服电动机。如图4-15所示，它安装在通风箱一侧的壳体上，通过多条连杆与各出风风门相连。出风模式伺服电动机包括电动机、动触点和电路盘等。

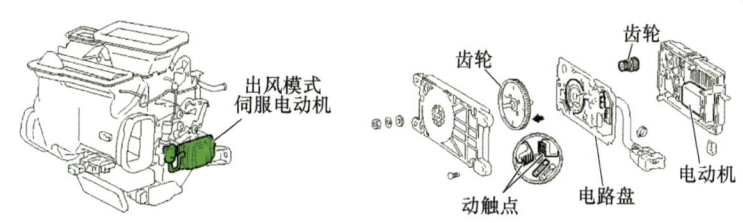

图 4-15　出风模式伺服电动机的安装位置与结构

出风模式伺服电动机的控制电路如图 4-16 所示。当驾驶人操纵面板上的某个出风模式按键时，空调 ECU 控制出风模式伺服电动机旋转，并带动电位计移动，电位计向空调 ECU 发送风门位置信息，当达到需要的出风模式位置后，电动机即停止转动。

10. 鼓风机控制器

自动空调鼓风机控制电路如图 4-17 所示，空调 ECU 通过调整晶体管基极电流来控制鼓风机电动机的电流，从而控制鼓风机的转速。

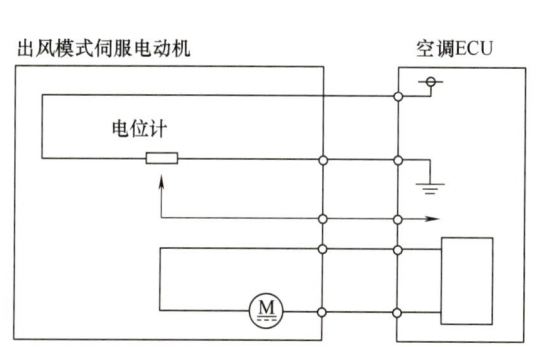

图 4-16　出风模式伺服电动机的控制电路

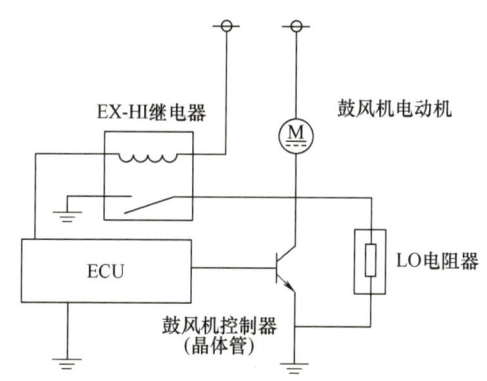

图 4-17　自动空调鼓风机控制电路

空调 ECU 根据车内温度和设置温度之间的差距自动调整鼓风机的转速。当存在大的温差时，鼓风机电动机速度 HI（高）；当存在小的温差时，鼓风机电动机速度 LO（低）。当需要最大风量时，EX-HI 继电器直接使电动机搭铁，此继电器避免了晶体管产生的电压损失。当然，也可以通过手动设置鼓风机档位旋钮来调整鼓风机转速。

LO 电阻器的作用是当鼓风机电动机开始转动时，有大量电流流过，为了保护晶体管，在晶体管打开前，LO 电阻器首先接收电流。

三、全自动空调控制系统电路图

图 4-18 为丰田卡罗拉自动空调系统控制电路。丰田卡罗拉自动空调系统各风门伺服电动机内含有微芯片，通过数据总线与空调 ECU 通信。环境温度传感器先将信号传输给组合仪表，再由组合仪表通过 CAN 线传送给空调 ECU。

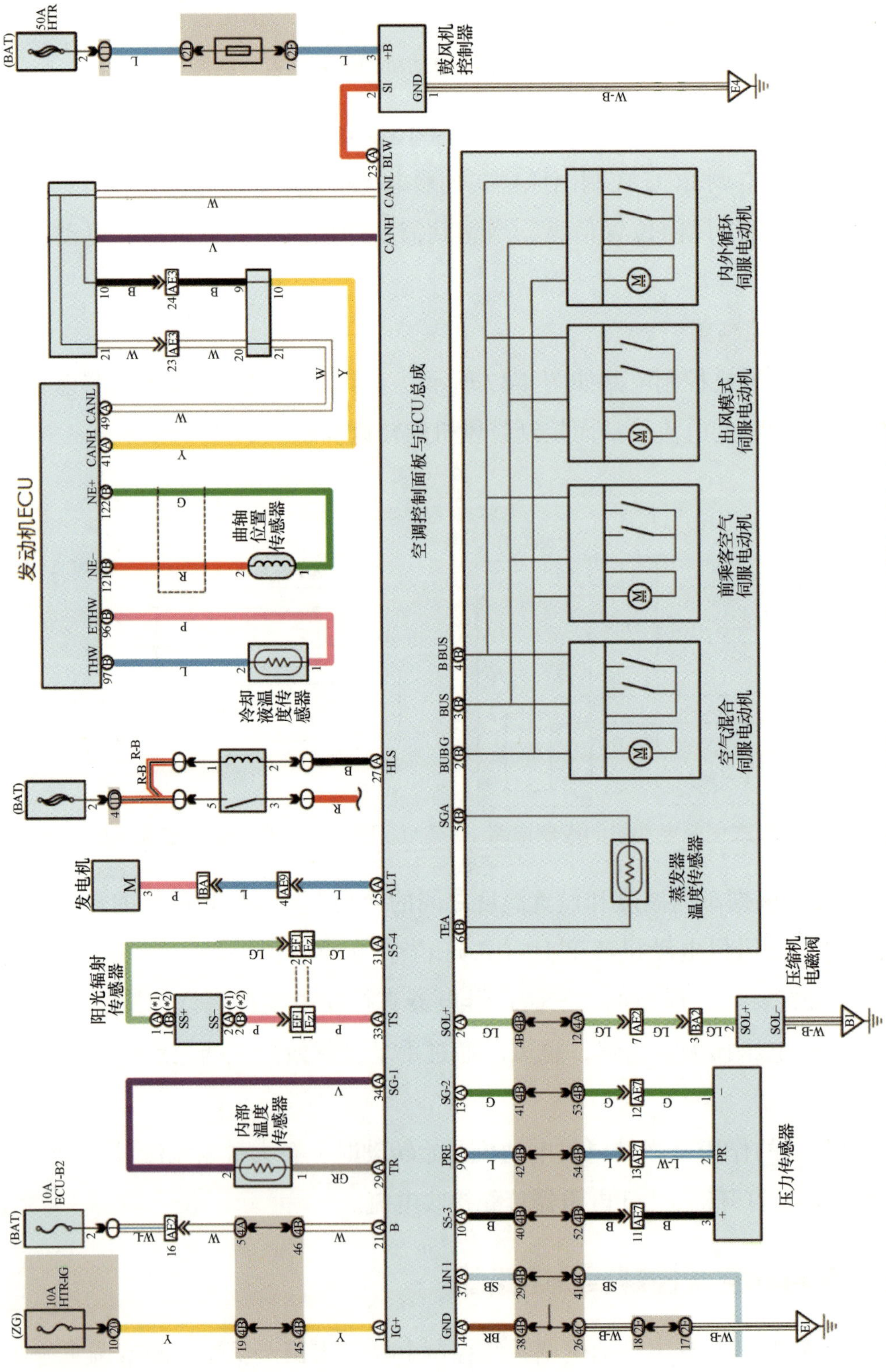

图 4-18 丰田卡罗拉自动空调系统控制电路图

模块四　全自动空调控制系统的检查

全自动空调控制系统的检查	学习任务单	班级： 姓名：

1. 全自动空调控制系统与手动空调控制系统和半自动空调控制系统最直观的区别就是控制面板上增设有_____按键和一个小的显示屏。当按下此按键时，自动空调系统就对_____、_____和出风模式自动控制。

2. 自动空调系统和手动空调系统都是由_____、_____、通风系统和控制系统组成的，其中有三个系统结构相似，差别是在_____系统。全自动空调控制系统主要由_____、ECU 和_____组成。

3. 写出图中数字所指零件的名称。

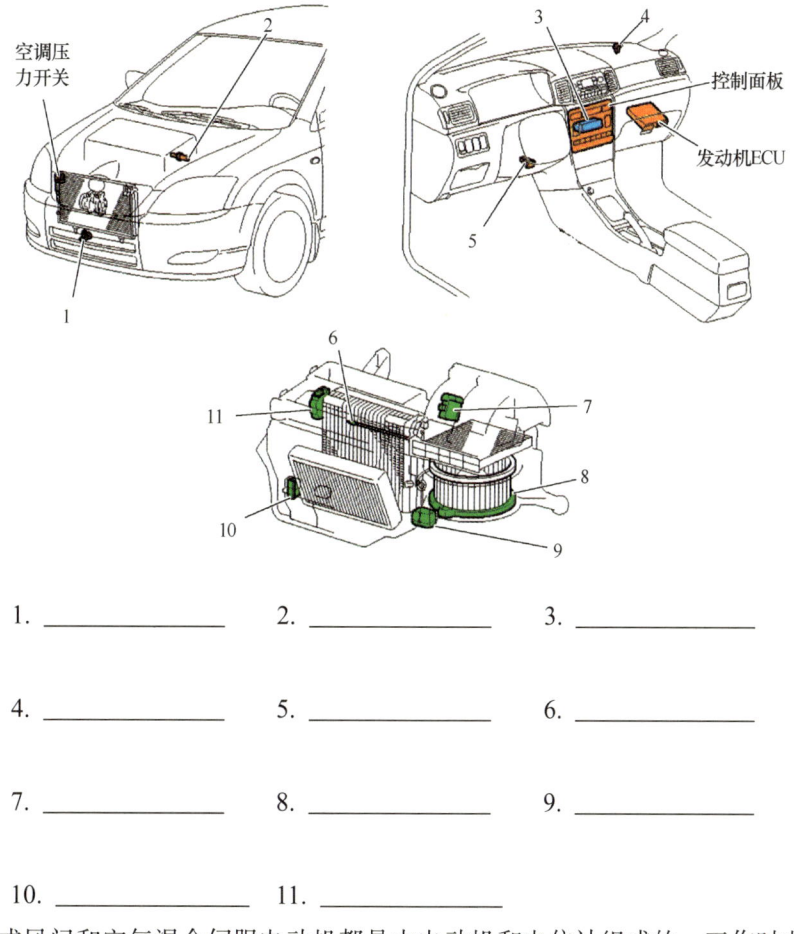

1. _____　　2. _____　　3. _____

4. _____　　5. _____　　6. _____

7. _____　　8. _____　　9. _____

10. _____　　11. _____

4. 出风模式风门和空气混合伺服电动机都是由电动机和电位计组成的，工作时电动机在 ECU 的控制下旋转，并带动电位计移动，电位计将风门位置信号转变成电信号输送给_____。

5. 自动空调鼓风机的转速是由空调 ECU 通过调整_____基极电流来控制到鼓风机电动机的电流决定的。

实训任务　全自动空调控制系统的检查

实训器材

丰田卡罗拉轿车、故障诊断仪、空调歧管压力表、常用维修工具和维修手册等。

作业准备

车辆在工位停放周正，铺好车内和车外护套等。

操作步骤

一、故障码与数据流的读取

自动空调控制系统具有自诊断功能，当自检发现故障后会以故障码的形式储存在ECU的存储器中，目前只有部分车型在仪表内有空调故障指示灯，很多车型没有空调故障指示灯。但都可以通过故障诊断仪读取自动空调控制系统的故障码、数据流和对执行元件进行工作测试，具体步骤如下：

1）将点火开关置于OFF位，然后将故障诊断仪连接到故障诊断座上。

2）将点火开关置于ON（IG）位，并按下诊断仪电源键。

3）选择要检测的车型，进入空调系统，如图4-19所示。

4）选择读取故障码，并记录故障码，如图4-20所示。

图4-19　进入空调系统

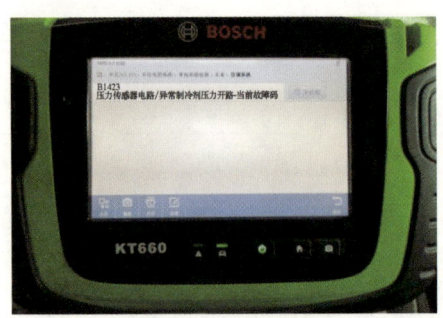

图4-20　记录故障码

5）清除故障码，再重新读取故障码。

6）根据故障码，读取故障码所指元件的数据流，如图4-21所示，并与维修手册标准数据流对比。

7）根据故障码和异常数据流信息查找维修手册，再根据维修手册流程查找故障原因。

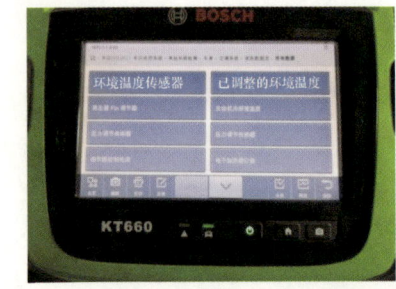

图4-21　查看故障码和异常数据流信息

二、汽车空调故障的检查方法

1. 听（图 4-22）

1）起动发动机，并将空调鼓风机开到高速档，再打开 A/C 开关，发动机转速稳定在 1500/min 左右。

2）听压缩机工作是否有异常的声音。

3）听鼓风机工作是否有异常的声音。

2. 看（图 4-23）

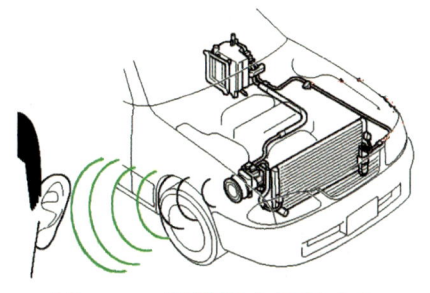

图 4-22　听是否有异常声音

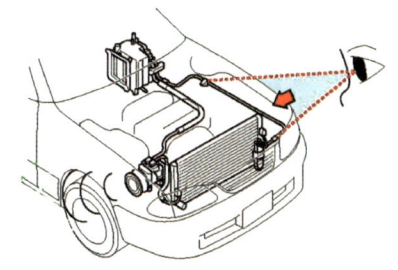

图 4-23　观察是否有油渍

1）观察冷凝器表面是否清洁和有油渍，因为杂物和泥土附在冷凝器上会影响散热效果。

2）观察空调制冷系统的所有连接部位是否有油渍。一旦有油渍，说明此处可能渗漏制冷剂。

3）检查压缩机轴封和表面是否有油渍。

4）查看各软管有无磨损、老化、鼓泡、裂纹和渗漏等现象。

5）起动发动机，打开空调系统，查看压缩机电磁离合器是否吸合，冷却风扇是否旋转。

6）从视液窗观察制冷剂是否充足，如图 4-24 所示。

3. 摸

1）起动发动机，并将空调鼓风机开到高速档，再打开 A/C 开关，发动机转速稳定在 1500/min 左右。

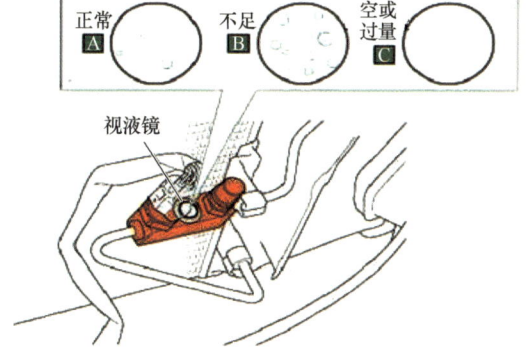

图 4-24　观察制冷剂是否充足

2）用手触摸压缩机出口管应烫手（70~80℃，用手可以触碰，但不能长时间触摸）；如果感觉不到较高的热度，说明制冷剂不足或压缩机有故障。

3）用手触摸冷凝器出口有一定的热度（50~60℃），如图 4-25 所示，但不烫手，如果较烫手，说明冷凝器散热不良或冷却风扇工作不良。

4）用手触摸压缩机入口管路应非常冰凉（4~10℃），如图4-26所示，如果感觉不到凉度，说明制冷系统有故障，需要进一步检测。

图4-25 触摸冷凝器出口

图4-26 触摸压缩机入口管路

5）用手触摸制冷系统高压侧部件或管路，如果一端热另一端冷，说明该部位存在堵塞。

4. 测

1）连接歧管压力表，测量静态时制冷系统的压力，如果压力非常低，说明制冷剂不足。

2）起动发动机，打开空调，发动机转速稳定在1500/min左右，测量制冷系统运行时高、低压侧的压力，如图4-27所示，判断制冷系统工作是否正常。

图4-27 测量制冷系统运行时高、低压侧的压力

3）用温度计或干湿计测量仪表板出风口温度，判断制冷效果。

三、用歧管压力表测量空调制冷系统故障

1. 制冷系统工作正常

如果空调制冷系统循环正常，表压值如下：低压侧0.15~0.25MPa（1.5~2.5kgf/cm^2），高压侧1.37~1.57MPa（14~16kgf/cm^2），如图4-28所示。

2. 制冷剂量不足

如果制冷剂量不足，低压侧和高压侧的表压均低于标准值，如图4-29所示。

（1）现象

1）低压侧和高压侧压力均低。

2）视液窗可以看见气泡。

3）制冷不足。

（2）原因 制冷剂量少。

（3）维修措施

1）检查泄漏部位并修理。

2）补加制冷剂。

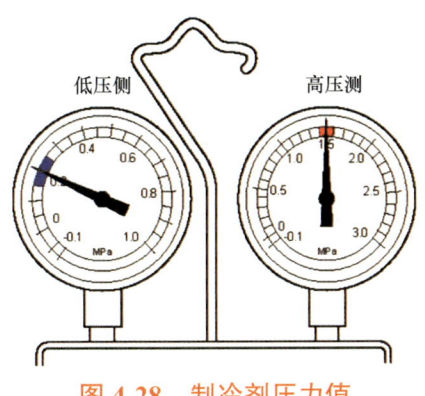

图 4-28　制冷剂压力值

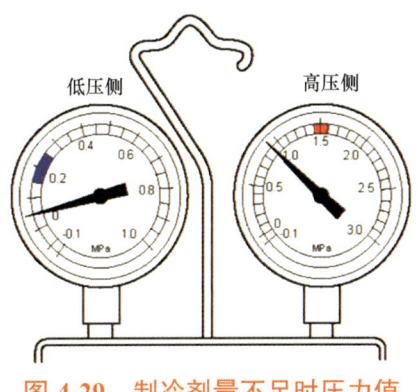

图 4-29　制冷剂量不足时压力值

3. 制冷剂过多或冷凝器散热不足

如果制冷剂过多或冷凝器散热不足，低压侧和高压侧表压显示均高于标准值，如图 4-30 所示。

（1）现象

1）低压侧和高压侧压力均高。

2）发动机怠速运行时，视液窗也看不到气泡。

3）制冷不足。

（2）原因

1）制冷剂加注过多。

2）冷凝器散热差。

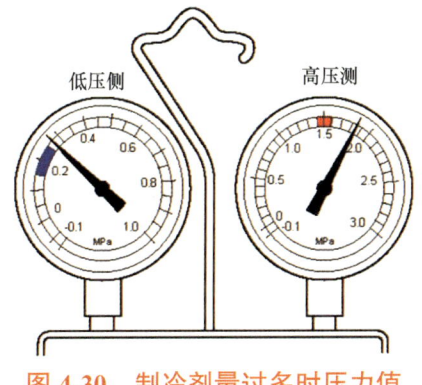

图 4-30　制冷剂量过多时压力值

（3）维修措施

1）回收制冷剂，重新加注正确的制冷剂量。

2）清理冷凝器。

3）检查冷却风扇工作是否正常。

4. 制冷系统有湿气

如图 4-31 所示，当较多的湿气渗透到制冷系统中时，在空调运行开始时表压正常。经过一段时间后，低压侧逐渐指示有真空度。在几秒至几分钟以后，表压又恢复到标准值。这一周期反复，原因是当制冷系统有湿气渗透时，在膨胀阀附近反复冰冻和融化，而发生这一现象。

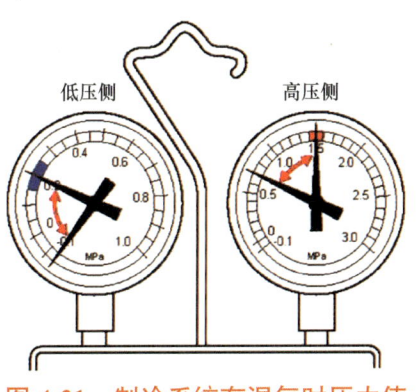

图 4-31　制冷系统有湿气时压力值

（1）现象　空调起动时操作正常，经过一段时间以后低压侧逐渐指示有真空度，过后又恢复到标准值。

(2) 原因　较多的湿气进入制冷系统。

(3) 维修措施

1) 更换储液罐。

2) 在重新加制冷剂前，系统彻底抽真空。

5. 压缩机工作不良

当压缩机工作不良时，低压侧表压高于标准值，高压侧表压低于标准值，如图4-32所示。

(1) 现象

1) 低压侧高、高压侧低。

2) 立刻关闭空调，高压侧和低压侧很快恢复到同一压力。

3) 压缩机出口管不烫手。

4) 制冷不足。

(2) 原因　压缩机内部磨损或损坏。

(3) 维修措施　检查或更换压缩机。

6. 制冷循环中堵塞

由于制冷剂不能循环（制冷剂循环堵塞），低压侧表压指示真空度，高压侧表压变得低于标准值，如图4-33所示。

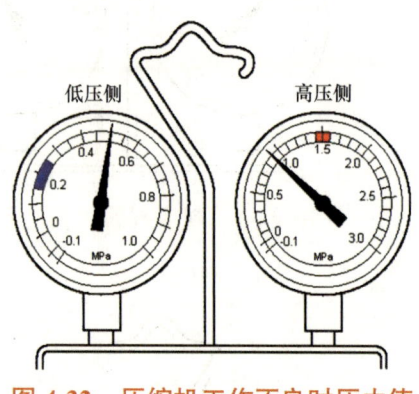 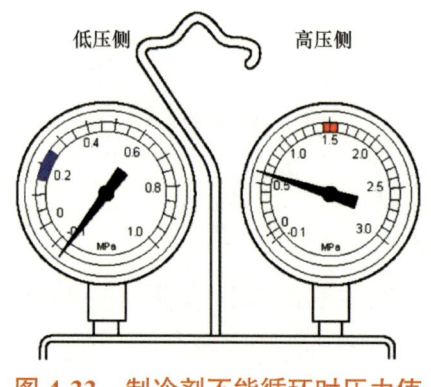

图4-32　压缩机工作不良时压力值　　图4-33　制冷剂不能循环时压力值

(1) 现象

1) 如果完全堵塞，低压侧立刻指示真空度（不能制冷）。

2) 如果制冷循环有堵塞趋向时，低压侧逐渐指示真空度（制冷取决于堵塞程度）。

3) 在堵塞部分前后有温差。

(2) 原因　灰尘或冰冻湿气堵塞膨胀阀或其他的孔阻止制冷剂的流动。

(3) 维修措施

1) 弄清楚堵塞的原因，更换造成堵塞的部件。

2）彻底对系统抽真空。

7. 制冷系统中有空气

当空气渗透入制冷系统时，低压侧和高压侧表压均高于标准值，如图 4-34 所示。

（1）现象　低压侧和高压侧压力均高。

（2）原因　制冷系统有空气。

（3）维修措施

1）回收并重新加注制冷剂。

2）彻底对系统抽真空。

8. 膨胀阀开度过大

当膨胀阀开启过大时，低压侧表压高于标准值，如图 4-35 所示，这降低了制冷性能。

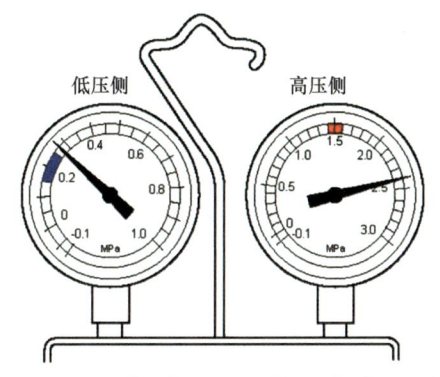

图 4-34　空气渗透入制冷系统时压力值

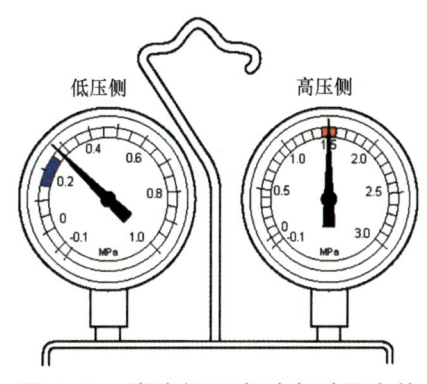

图 4-35　膨胀阀开启过大时压力值

（1）现象

1）低压侧压力上升并且制冷性能降低（高压侧压力显示几乎无变化）。

2）低压管路上结霜。

（2）原因　膨胀阀损坏或膨胀阀感温包安装不到位。

（3）维修措施

1）检查膨胀阀感温包的安装情况。

2）更换膨胀阀。

实训任务总结：_____

汽车空调与舒适系统技术（初级）第2版

全自动空调控制系统的检查	工作任务单	班级：
		姓名：

1. 记录车辆信息

品牌		整车型号		生产年月	
发动机型号		发动机排量		行驶里程	
车辆识别代号					

2. 空调性能检查

检查项目		检查情况	判定	维修措施
空调面板工作			□正常 □异常	□维修 □调整 □更换
鼓风机工作			□正常 □异常	□维修 □调整 □更换
压缩机工作			□正常 □异常	□维修 □调整 □更换
冷却风扇工作			□正常 □异常	□维修 □调整 □更换
冷凝器			□正常 □异常	□维修 □调整 □更换
空调软管及接头			□正常 □异常	□维修 □调整 □更换
冷凝器入口温度			□正常 □异常	□维修 □调整 □更换
冷凝器出口温度			□正常 □异常	□维修 □调整 □更换
蒸发器入口温度			□正常 □异常	□维修 □调整 □更换
蒸发器出口温度			□正常 □异常	□维修 □调整 □更换
静态管路压力	低压：		□正常 □异常	□维修 □调整 □更换
	高压：			
动态管路压力	低压：		□正常 □异常	□维修 □调整 □更换
	高压：			

3. 使用诊断仪读取空调系统故障码及数据流

故障码	
清除后故障码	

项目名称	数据	项目名称	数据
A/C开关信号		空调压力开关压力	
鼓风机档位		冷却液温度	
空调系统请求工作		蒸发箱温度	

4. 查询维修手册

序号	部件名称	章节及页码		规格（公制）
1		章	页	
2		章	页	
3		章	页	

模块四　全自动空调控制系统的检查

全自动空调控制系统的检查		实习日期：	
姓名：	班级：	学号：	
自评：□熟练　□不熟练	互评：□熟练　□不熟练	师评：□合格　□不合格	导师签名：
日期：	日期：	日期：	

全自动空调控制系统的检查【评分细则】

序号	评分项	得分条件	分值	评分要求	自评	互评	师评
1	安全/7S/态度	□1. 能进行工位 7S 操作 □2. 能进行设备和工具安全检查 □3. 能进行车辆安全防护操作 □4. 能进行工具清洁、校准、存放操作 □5. 能进行三不落地操作	15	未完成项，每项扣 3 分	□熟练 □不熟练	□熟练 □不熟练	□合格 □不合格
2	专业技能能力	作业 1 □1. 能正确地检查控制面板工作情况 □2. 能正确地检查鼓风机工作情况 □3. 能正确地检查压缩机工作情况 □4. 能正确地检查冷却风扇工作情况 □5. 能正确地检查冷凝器是否损坏 □6. 能正确地检查各管路及接头是否损坏 □7. 能正确地检查冷凝器入口、出口温度 □8. 能正确地检查蒸发箱入口、出口温度 □9. 能正确地检查管路静态压力 □10. 能正确地检查管路动态压力 作业 2 □1. 能正确地读取故障码 □2. 能正确地清除故障码并读取 □3. 能正确地读取系统数据流 □4. 能根据数据流判定性能	50	未完成项，每项扣 4 分，扣分不得超过 50 分	□熟练 □不熟练	□熟练 □不熟练	□合格 □不合格
3	工具及设备的使用能力	□1. 能正确地选用维修工具 □2. 能正确地使用维修工具 □3. 能正确地使用诊断仪 □4. 能正确地使用歧管压力表	10	未完成项，每项扣 3 分，扣分不得超过 10 分	□熟练 □不熟练	□熟练 □不熟练	□合格 □不合格
4	资料、信息的查询能力	□1. 能正确地使用维修手册查询资料 □2. 能正确地记录查询资料章节及页码 □3. 能正确地记录所需维修信息	10	未完成项，每项扣 3 分	□熟练 □不熟练	□熟练 □不熟练	□合格 □不合格
5	数据判断和分析能力	□1. 能判断控制面板是否正常 □2. 能判断空调系统工作是否正常 □3. 能判断冷凝器是否损坏 □4. 能判断各管路是否损坏 □5. 能判断/分析系统数据流	10	未完成项，每项扣 2 分	□熟练 □不熟练	□熟练 □不熟练	□合格 □不合格
6	表单填写与报告的撰写能力	□1. 字迹清晰 □2. 语句通顺 □3. 无错别字 □4. 无涂改 □5. 无抄袭	5	未完成项，每项扣 1 分	□熟练 □不熟练	□熟练 □不熟练	□合格 □不合格
总分：							

99

模块五

新能源汽车电动空调系统的检修

学习目标

知识目标

1）掌握电动空调制冷系统的结构及工作原理。
2）掌握电动空调取暖系统的结构及工作原理。

技能目标

1）会正确认知吉利 EV450 电动空调系统各部件。
2）会运用空调检查方法排除吉利 EV450 电动空调系统简易故障。

素养目标

1）能够在工作过程中与小组其他成员合作、交流，养成团队合作意识，锻炼沟通能力。
2）养成 7S 的工作习惯。
3）养成服从管理、规范作业的良好工作习惯。

任务描述

一辆吉利帝豪 EV450 纯电动汽车用户反映：空调暖风与制冷效果均不佳，需要对该系统进行检查，确定故障部位并进行修理。

相关知识

新能源汽车电动空调系统相比于传统汽车的空调系统，从作用上来说，电动空调系统是整车热管理系统的重要组成部分，除了负责乘员舱的空气舒适调节外，还肩负着动力蓄电池的冷却和加热、电驱动系统的冷却等任务，图 5-1 所示为吉利 EV450 整车热管理系统。从结构上来说，它新增了电动压缩机和 PTC 加热器等核心部件，主要区别是压缩机的驱动方式，纯电动汽车的空调采用电动方式来驱动压缩机，这有别于传统汽车通过发动机曲轴传动带驱动的形式。

新能源汽车空调系统与传统车型类似，主要由制冷系统、取暖（制热）系统、通风系统和控制系统等组成。

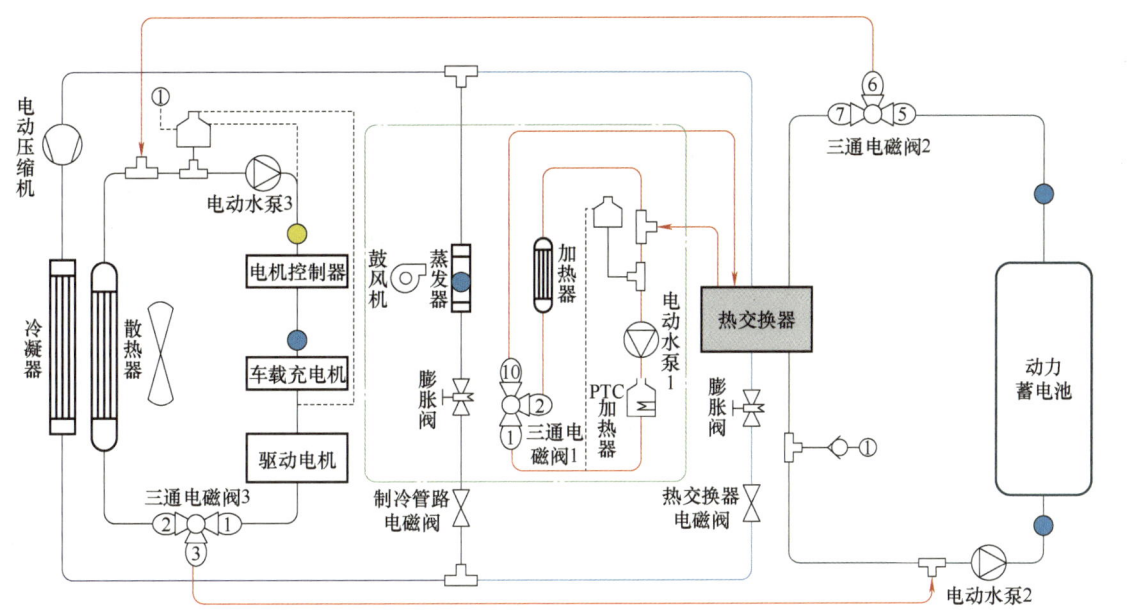

电动空调系统组成

图 5-1 吉利 EV450 整车热管理系统

一、制冷系统的结构与工作原理

纯电动汽车空调制冷系统主要由电动压缩机、冷凝器、干燥过滤器、制冷管路电磁阀、膨胀阀、蒸发器（位于蒸发箱内部）和高低压管路等组成，如图 5-2 所示。该系统是一个以填充 R134a 制冷剂作为传热介质的封闭回路。制冷剂中添加空调润滑油，以润滑压缩机的内部组件。冷凝器、干燥过滤器、膨胀阀和蒸发器与传统燃油汽车空调系统基本相同。

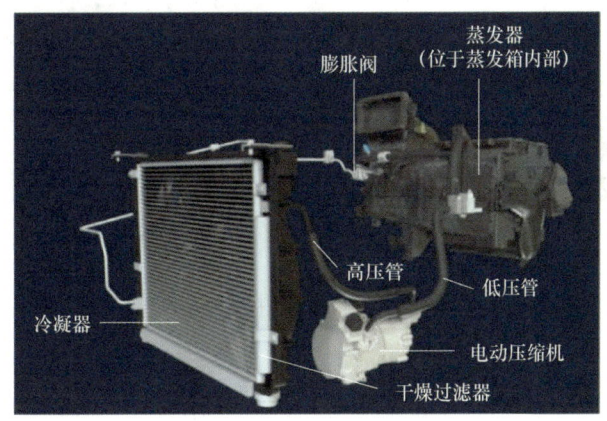

空调制冷系统组成与原理

图 5-2 制冷系统的结构

1. 电动压缩机的结构与工作原理

（1）结构　电动汽车由于没有发动机（混合动力汽车行驶时发动机一般也不工作），因此，空调系统采用电动压缩机。电动压缩机由电动机、压缩机、集成控制器和高、低压连接线及端子等组成，如图 5-3 所示。

电动压缩机结构与原理

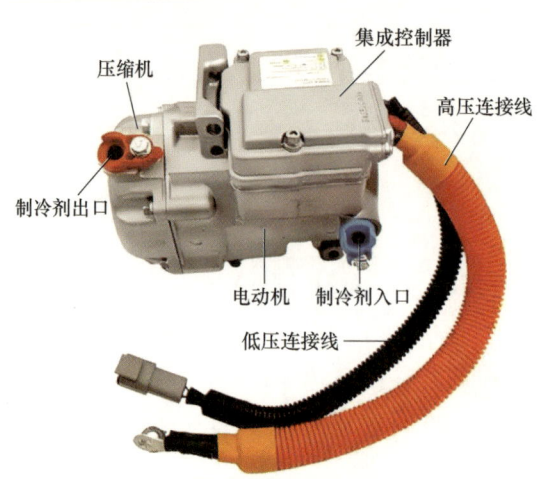

图 5-3 电动压缩机

电动压缩机的电动机一般采用体积小、质量小、效率高的三相永磁同步电机。压缩机多采用涡旋式，因为涡旋式压缩机具有振动小、噪声低、使用寿命长、重量小、转速高、效率高、尺寸小等诸多优点，非常适用于高速电动机驱动，图 5-4 所示为电动压缩机的解剖图。

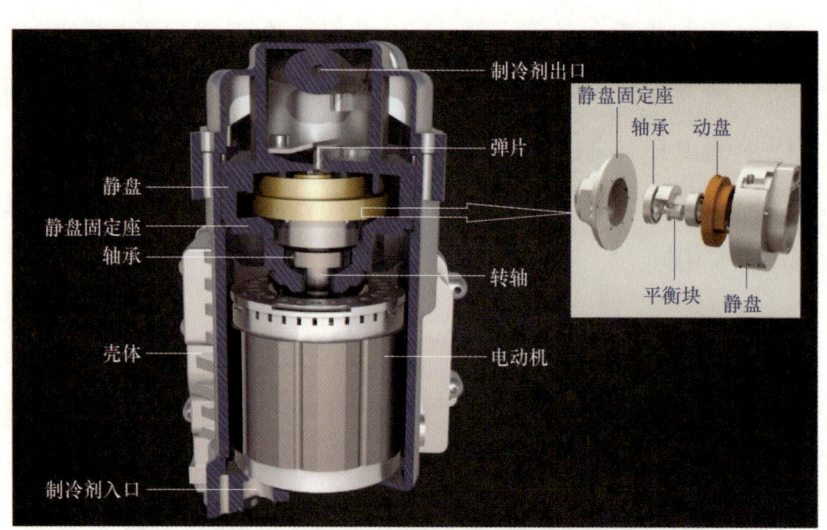

图 5-4 电动压缩机的解剖图

（2）工作原理　动力蓄电池通过高压分配盒或车载充电机向电动压缩机的集成控制器输送高压直流电，工作电压 200~450V，集成控制器内部有逆变器，控制器工作电压为 9~16V，能将动力蓄电池的高压直流电转化为三相正弦交流电驱动电动机旋转，再通过转轴带动压缩机的动盘转动，使气态制冷剂从壳体与电动机定子之间的缝隙流过，再从外侧吸入到静盘与动盘之间的月牙形工作腔内，由于动盘相对静盘旋转，从而逐步挤压制冷剂，最后从中心的排气口推开排气阀弹片排出，如图 5-5 所示。控制器还能通过占空比脉宽调制控制信号改变三相正弦交流电的频率和幅值控制电动机的转速和转矩，进而控制制冷剂量，调节温度。

模块五 新能源汽车电动空调系统的检修

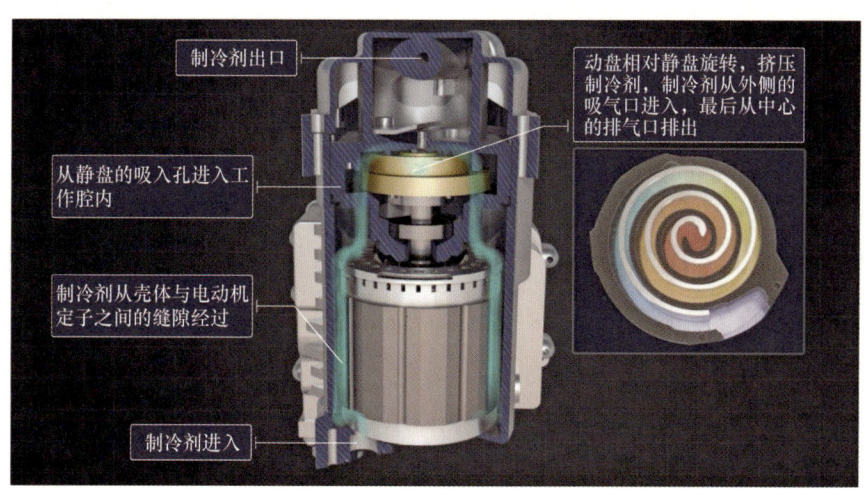

图 5-5 电动压缩机的工作原理

2. 制冷系统的工作原理

纯电动汽车空调制冷系统与传统汽车空调制冷系统基本原理一样，只是它还肩负着动力蓄电池的冷却任务。如吉利 EV450 空调系统的制冷系统有两个蒸发回路，一个蒸发器置于车内仪台板下方，用于乘员舱制冷；一个蒸发器置于热交换器中，用于动力蓄电池冷却。每个蒸发回路都有一个 H 型膨胀阀，H 型膨胀阀的前端分别安装有制冷管路电磁阀和热交换器电磁阀，可以根据乘员舱和动力蓄电池冷却的需求控制电磁阀打开或关闭制冷回路。

（1）空调制冷　当车辆高温行驶（或停止）时，打开空调制冷系统，起动电动压缩机，打开制冷管路电磁阀，制冷剂通过冷凝器放热，车内的蒸发器吸收车内热量。

空调制冷时，制冷剂的流动路线为：压缩机→冷凝器→制冷管路电磁阀→膨胀阀→蒸发器→压缩机，如图 5-6 所示。

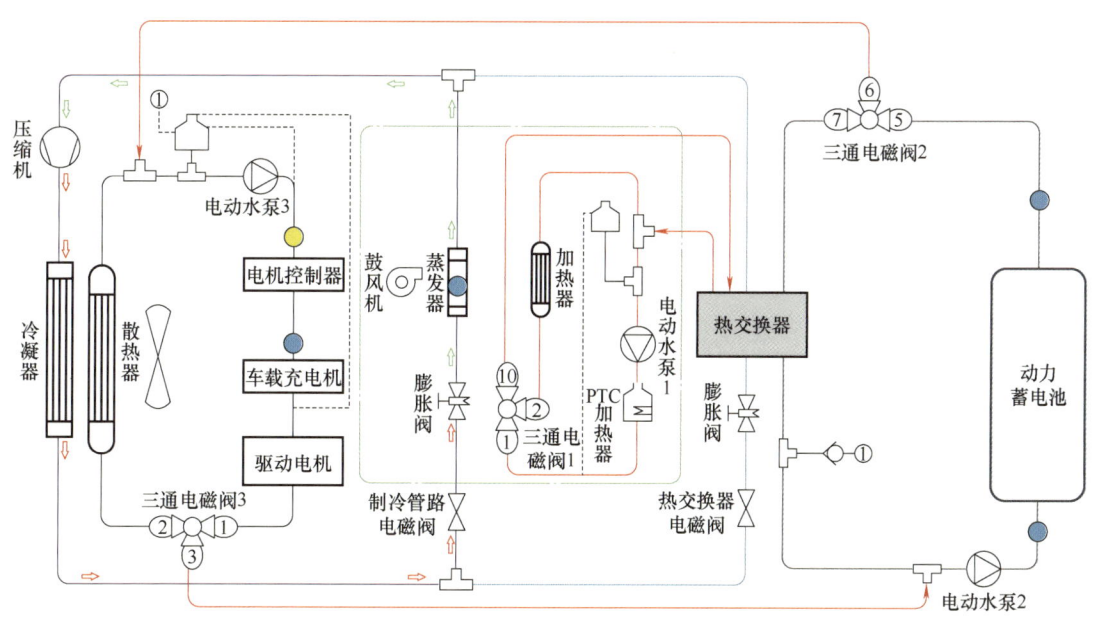

图 5-6 空调制冷时制冷剂的流动路线

103

（2）动力蓄电池冷却　动力蓄电池充电特别是大功率充电时，为了防止其温度过高，空调制冷系统开始工作，对动力蓄电池进行冷却；车辆行驶时，当动力蓄电池温度高于设定值，空调也开始工作。此时，热交换器电磁阀打开，制冷剂通过热交换器内的蒸发器，吸收流过热交换器的动力蓄电池冷却液的热量，同时电动水泵2工作，三通电磁阀2工作使通道5与7接通，动力蓄电池冷却液在热交换器与动力蓄电池之间循环，冷却动力蓄电池。

动力蓄电池冷却时，制冷剂的流动路线为：压缩机→冷凝器→热交换器电磁阀→膨胀阀→蒸发器（位于热交换器内部）→压缩机，如图5-7所示。

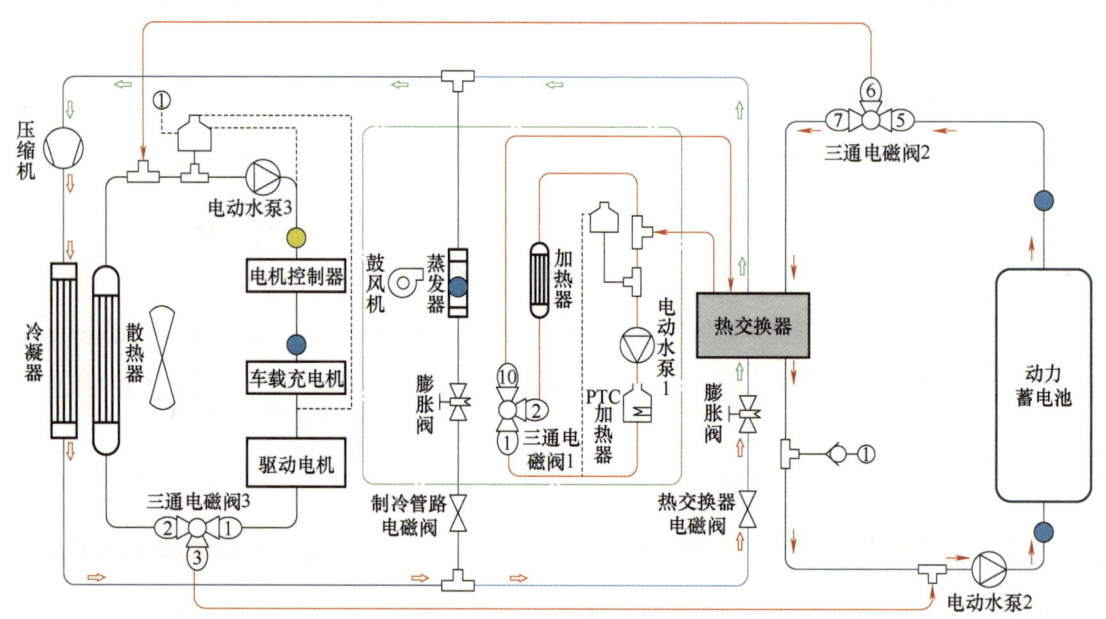

图5-7　动力蓄电池冷却时制冷剂的流动路线

（3）空调制冷和动力蓄电池冷却同时工作　车辆充电或者车辆行驶时，若同时需要车内制冷以及动力蓄电池冷却，则电动压缩机开始工作，此时制冷管路电磁阀和热交换器电磁阀均打开，车内蒸发器和热交换器内的蒸发器均制冷，制冷剂的流动线路如图5-8所示。

二、取暖（制热）系统的结构与工作原理

纯电动汽车由于没有发动机的余热，因此利用电加热的方式来产生暖风。暖风电加热器也称为PTC，PTC是Positive Temperature Coefficient的缩写，意思是正温度系数很大的半导体材料或元件。

目前在电动汽车上使用暖风电加热的方式有两种：一种是直接加热经过蒸发箱的空气，实现暖风；另一种是通过加热冷却液，再经过循环为暖风水箱提供热量。

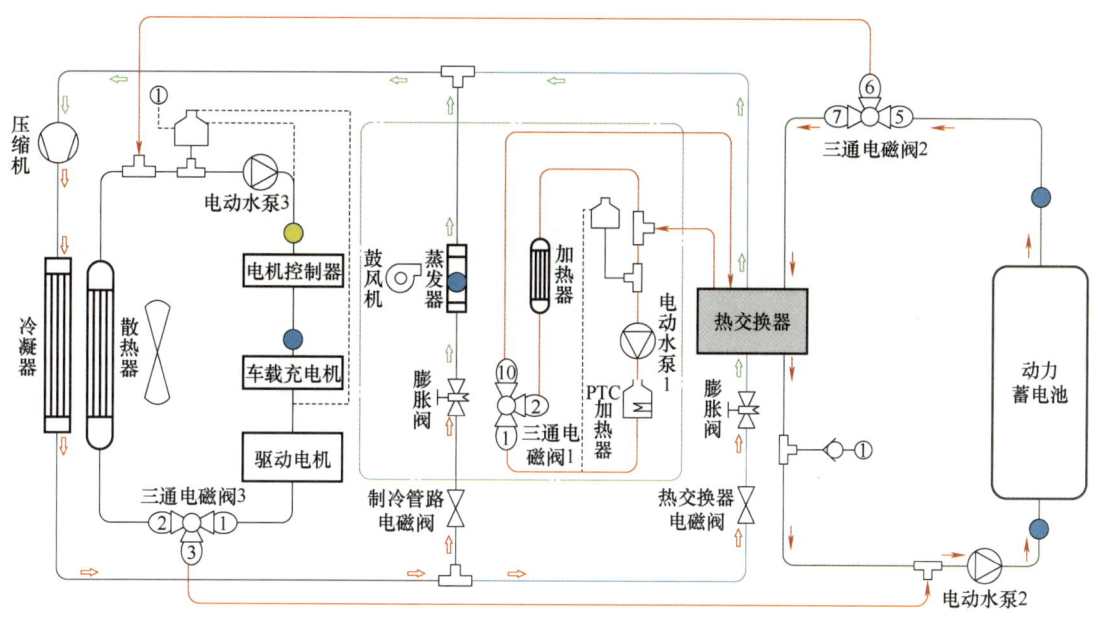

图 5-8　空调制冷和动力蓄电池同时冷却时制冷剂的流动路线

1. 风暖 PTC 加热器供暖系统的结构与工作原理

（1）结构　电动汽车风暖 PTC 加热器供暖系统如图 5-9 所示，它将传统发动机余热式供暖系统的暖风水箱替换为风暖 PTC 加热器，如图 5-10 所示。

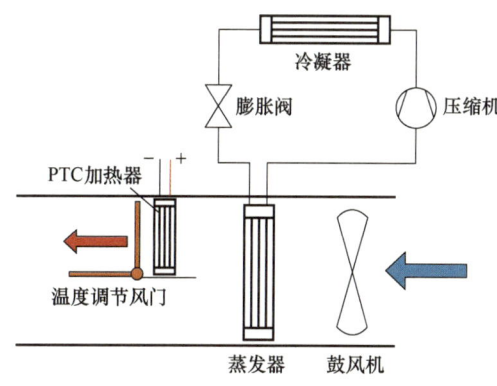

图 5-9　风暖 PTC 加热器供暖系统

图 5-10　风暖 PTC 加热器

（2）工作原理　利用动力蓄电池给 PTC 加热器供电加热。风暖 PTC 加热器供暖系统的优点是暖风出风较快，减少了冷却液回路、冷却液泵和暖风水箱等部件，成本低，无须维护。但由于 PTC 加热器表面工作温度较高，流经 PTC 的气流较为干燥，因此舒适性略差。而且 PTC 加热器作为高压（工作电压 300~450V）、高温部件，安装于仪表板下的风道中，也存在一定的安全隐患。另外风暖 PTC 加热器与动力蓄电池热管理系统独立，无法为动力蓄电池加热，所以风暖 PTC 加热器供暖系统应用相对较少，多作为辅助加热，例如在严寒时弥补热泵空调供暖的不足。

2. 水暖 PTC 加热器供暖系统的结构与工作原理

（1）结构　主要由 PTC 加热器、热交换器、暖风水箱、电动水泵和连接软管等组成，如图5-11所示。

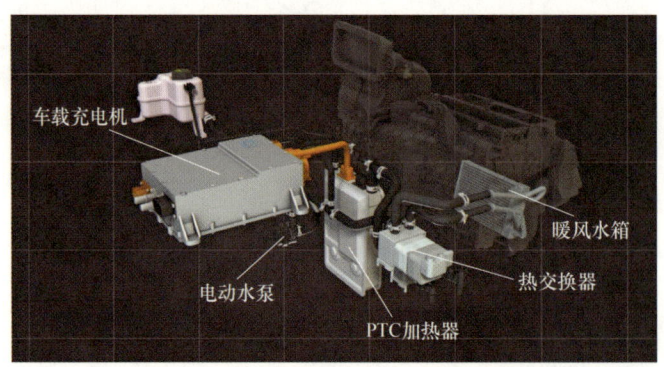

图5-11 水暖PTC加热器系统

PTC加热器结构与原理

（2）工作原理 该系统保留了传统汽车供暖系统中的暖风水箱，由车载充电机向PTC加热器提供动力蓄电池输送的高压电，由水暖PTC加热器给暖风系统中的冷却液加热，加热后的冷却液在电动水泵的推动下经过热交换器流到暖风水箱，暖风水箱再对流经表面的空气进行加热，吹出舒适的暖风，如图5-12所示。

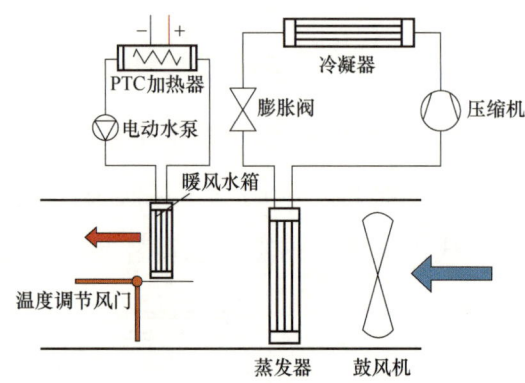

图5-12 水暖PTC加热器供暖系统

3. 吉利EV450电动空调供暖系统的结构与工作原理

（1）结构 吉利EV450电动空调供暖系统采用水暖PTC加热器，主要由鼓风机、PTC加热器、电动水泵1、储液罐、加热器（暖风水箱）和三通电磁阀1等组成，如图5-13所示。

空调暖风系统组成与原理

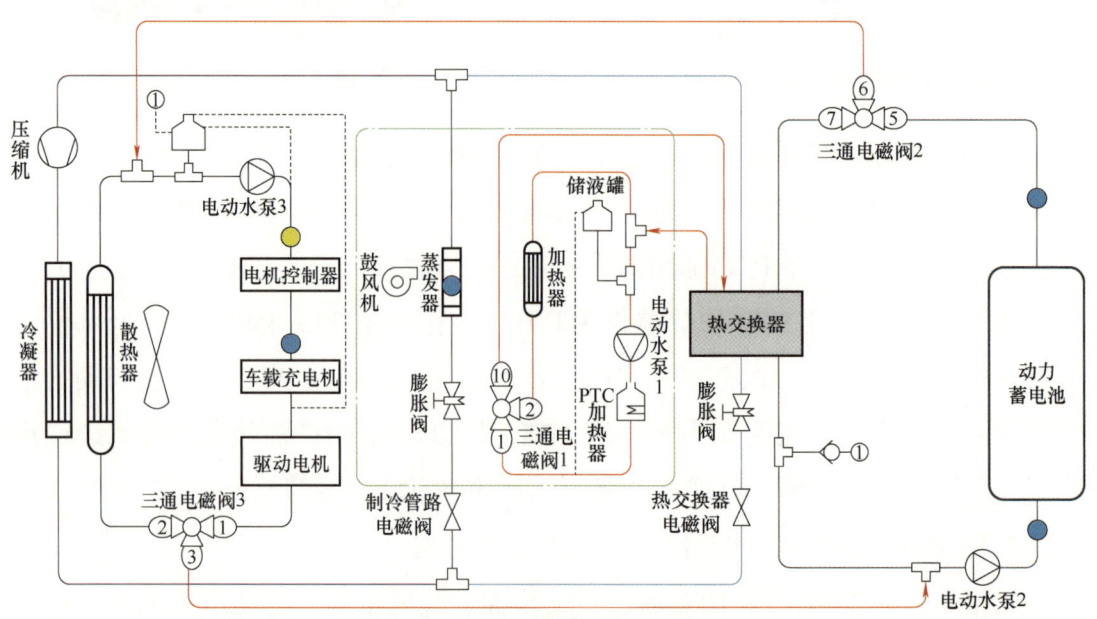

图5-13 吉利EV450电动空调供暖系统的结构

（2）空调制热时的工作原理　　当需要制热时，热管理控制器（自动空调控制器）控制 PTC 加热器工作，控制三通电磁阀 1 工作使 1、2 号管路接通，电动水泵 1 驱使经 PTC 加热器加热后的冷却液流进空调系统风道中的暖风水箱，鼓风机将车内或车外空气吹过暖风水箱，实现采暖。PTC 加热器高压工作电压为 300~450V，出水温度可达 65℃。

（3）动力蓄电池加热时的工作原理　　供暖系统还肩负着给动力蓄电池加热的任务，当动力蓄电池最低温度低于 –10℃时，热管理控制器控制三通电磁阀 1 的 1、10 管路接通，三通电磁阀 2 的 5、7 管路接通，启动 PTC 加热器，并控制电动水泵 1、电动水泵 2 工作，驱动动力蓄电池加热冷却回路与供暖系统的 PTC 加热冷却回路在热交换器中实现热量的传递，给动力蓄电池加热。

三、通风系统

空调通风系统由内外循环风门、空调过滤器、冷暖风调节风门、出风模式调节风门和面部、脚部及除霜出风口等组成，如图 5-14 所示。通过调节电动机控制各风门，将车外或车内空气引入空调制冷、制热系统调节空气的温度和湿度，并由相应的出风口将空气输送到乘客舱内。通风系统在"AUTO"模式时会自动选择相应的送风模式状态，使用"MODE"按钮可更改车辆的通风模式。如果当前显示一个通风模式，则按"MODE"按钮可选择下一通风模式。通风系统送风模式包括吹脸模式、吹脸与吹脚双向模式、吹脚模式、吹脚与除霜模式、除霜模式。

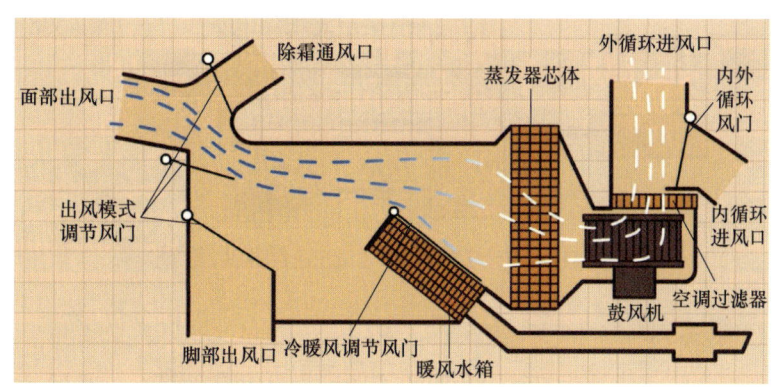

图 5-14　通风控制系统的组成

四、控制系统

吉利 EV450 自动空调控制系统为空调控制面板 +A/C 空调控制器（热管理控制器）的模式。

空调控制面板采集按键信息,将信息通过 LIN 线发送给自动 A/C 空调控制器,A/C 空调控制器采集车外温度传感器、阳光传感器、空调压力传感器、蒸发器温度传感器、暖风水箱温度传感器等信号,对鼓风机转速、出风模式调节电动机、冷暖风调节电动机、内外循环电动机、电动压缩机、PTC 加热器、制冷电磁阀、热交换电磁阀、PTC 加热水泵、动力蓄电池冷却水泵、三通电磁阀等进行控制,如图 5-15 所示。此外 A/C 空调控制器还通过 LIN 总线与 PM2.5 模块进行交互,完成乘员舱空气洁净控制。

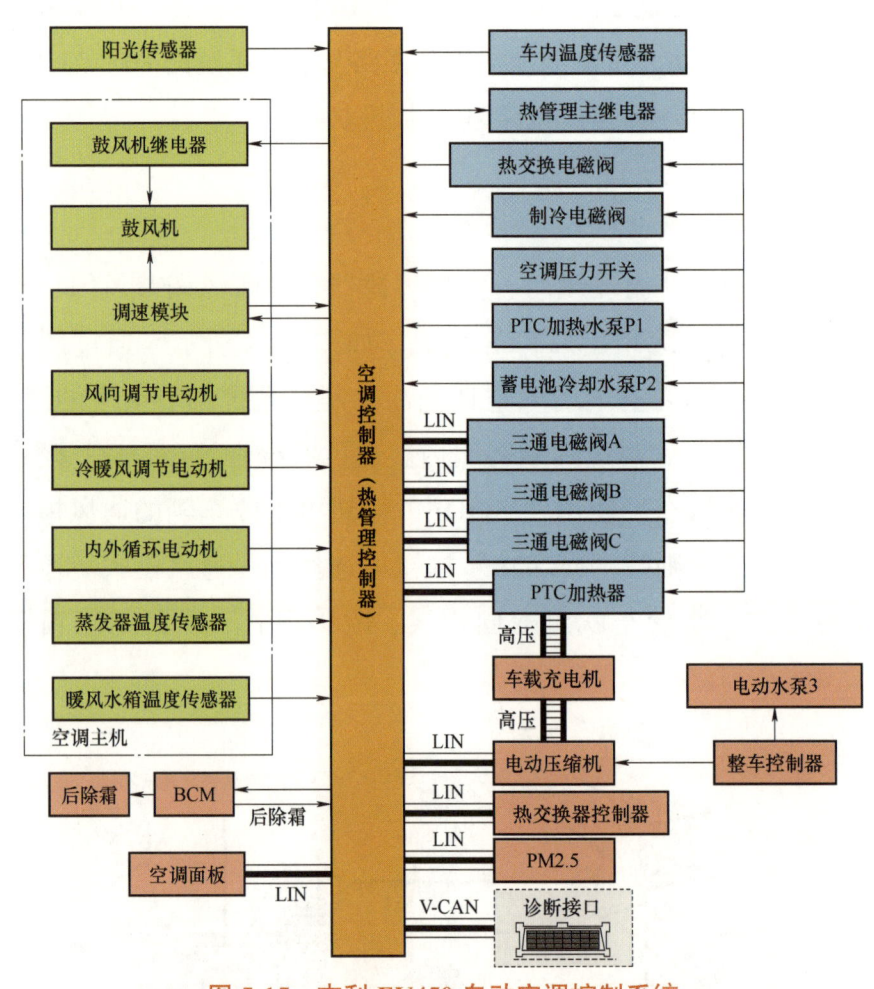

图 5-15 吉利 EV450 自动空调控制系统

1. 控制系统传感器

(1) 温度传感器　车外温度传感器、蒸发器温度传感器、暖风水箱温度传感器均为负温度系数热敏电阻传感器。车外温度传感器位于车辆前保险杠下面的前格栅区域,A/C 空调控制器使用这个传感器来获知周围空气的温度信息,并在仪表上显示外部温度。温度为 25℃时,车外温度传感器电阻为 2.2kΩ(±3%)。车外温度传感器电路如图 5-16 所示。

(2) 阳光传感器　阳光传感器位于仪表板上部装饰衬垫左边。它属于光照能量传感器，可测量阳光照射到车辆所产生的热量，为 A/C 空调控制器提供更多的补偿参数。A/C 空调控制器根据车外光照强度的状态和车内空调工况需求，实时自动调整空调风量和冷/热风混合比例，让车内乘员获得最舒适的感觉。阳光传感器电路如图 5-17 所示。

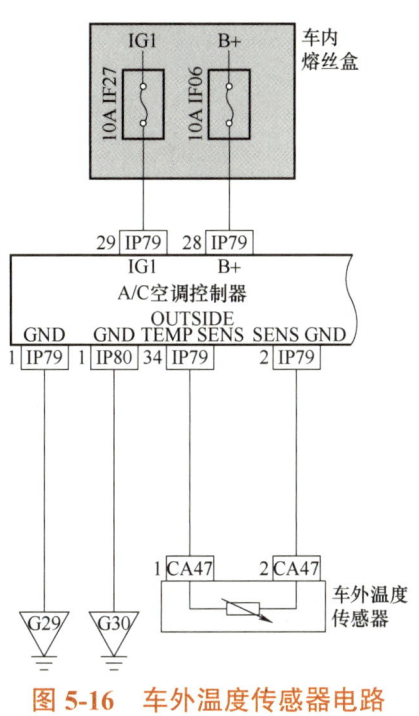

图 5-16　车外温度传感器电路

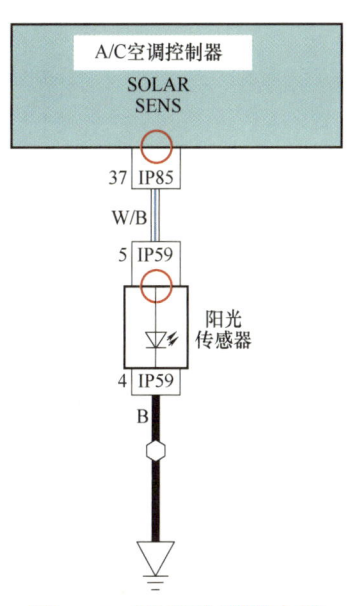

图 5-17　阳光传感器电路

（3）空调压力开关　空调压力开关属于三态压力开关，根据空调制冷循环压力值，打开或断开压力开关，传送空调系统压力信号，实现空调系统的压力保护。当高压侧压力 $0.196\text{MPa} \leq P \leq 3.14\text{MPa}$ 时，允许压缩机启动，否则实施压力保护，压缩机停止工作。当高压侧压力大于 1.77MPa 时，启动冷凝风扇高速转动，当高压侧压力小于 1.37MPa 时，冷凝风扇低速转动。空调压力开关电路如图 5-18 所示。

2. 控制系统执行器

（1）电动压缩机控制　空调电动压缩机控制电路如图 5-19 所示，它的高压电由车载充电机分线盒通过端子 BV33/3、端子 BV33/4 分别连接端子 BV30/1、端子 BV30/2 提供。电动压缩机控制器的低压插接器为 BV08，端子 BV08/1 通过由前机舱熔丝盒的熔丝 EF30（10A）供电；端子 BV08/3 搭铁；端子 BV08/2 接 LIN 总线，分别与空调控制面板、A/C 空调控制器和热交换器集成模块通过 LIN 总线通信。端子 BV08/6、BV08/7 为高压互锁输入、输出端子。因此，电动空调压缩机不工作的可能故障原因包括高压供电故障、低压供电故障、搭铁故障、LIN 总线通信故障、压缩机保护等。

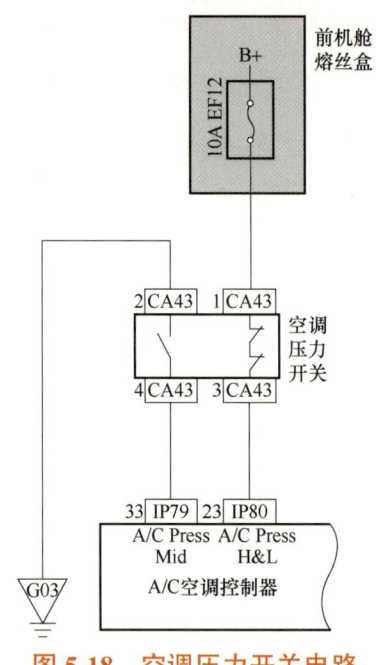

图 5-18 空调压力开关电路

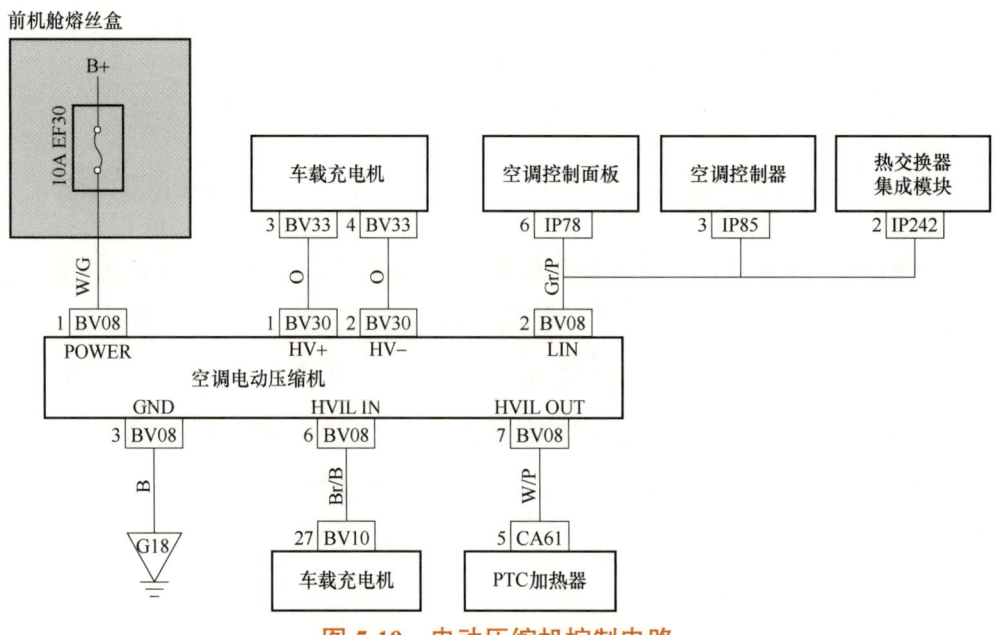

图 5-19 电动压缩机控制电路

（2）鼓风机控制　鼓风机由永磁电动机、轴流式风扇组成，鼓风机转速取决于鼓风机调速模块。鼓风机控制电路如图 5-20 所示。鼓风机与鼓风机调速模块为一个整体，插接器编号为 IP77，鼓风机正极 IP77/10 由前机舱熔丝盒中的鼓风机继电器 ER10 供电，ER10 通过 A/C 空调控制器端子 IP80/26 负触发控制，鼓风机负极受鼓风机调速模块控制，通过端子 IP77/1 搭铁，A/C 空调控制器通过端子 IP77/17 向鼓风机调速模块输出调速信号，同时鼓风机调速模块通过端子 IP77/18 向 A/C 空调控制器反馈鼓风机转速信号。

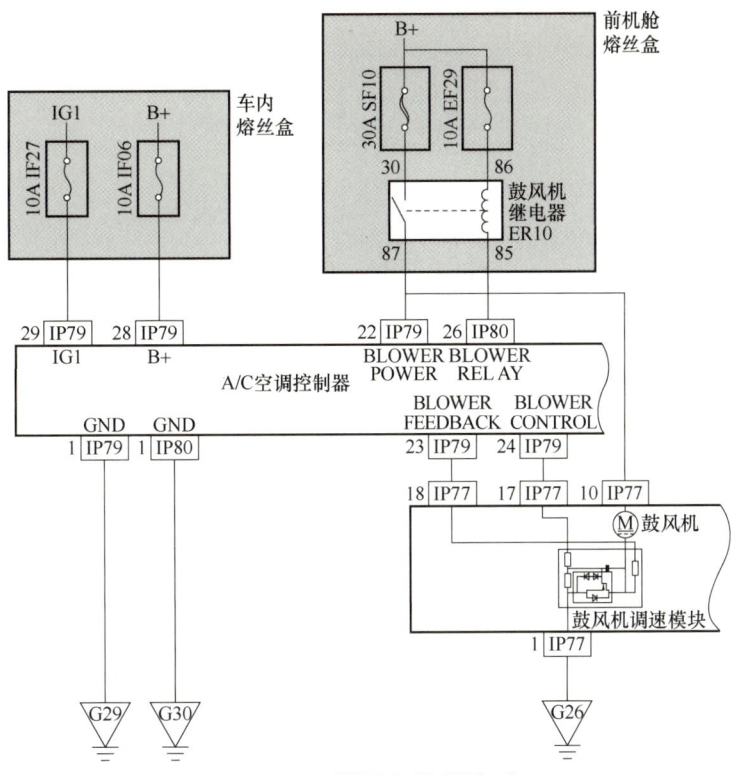

图 5-20　鼓风机控制电路

（3）风门调节电动机控制　自动空调通风系统的主要执行元件为各风门调节电动机，包括内外循环电动机、冷暖风调节电动机、出风模式调节电动机。每个风门调节电动机由电动机与位置传感器组成。内外循环调节电动机电路如图 5-21 所示，出风模式调节电动机电路如图 5-22 所示。

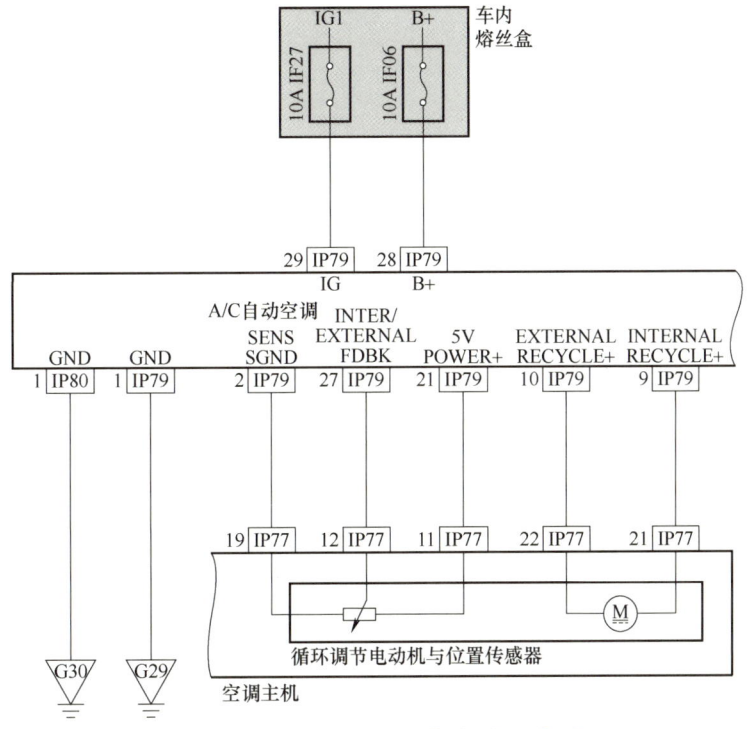

图 5-21　内外循环调节电动机电路

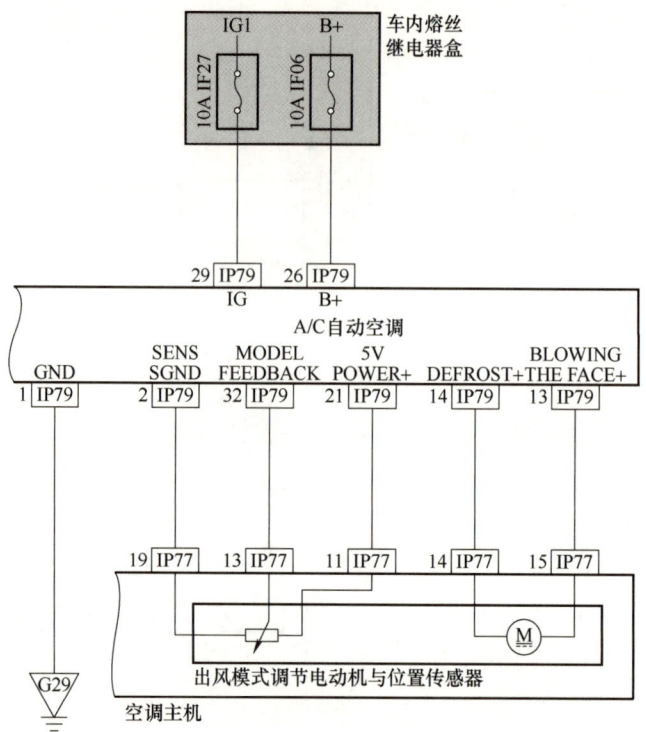

图 5-22 出风模式调节电动机电路

模块五 新能源汽车电动空调系统的检修

新能源汽车电动空调系统的检修	学习任务单	班级： 姓名：

1. 新能源汽车空调系统主要由制冷系统、_____系统、_____系统和控制系统等组成。

2. 纯电动汽车空调制冷系统主要由_____、冷凝器、干燥过滤器、_____、膨胀阀、蒸发器（位于蒸发箱内部）和高低压管路等组成。该系统是一个以填充_____作为传热介质的封闭回路。

3. 纯电动汽车空调系统采用电动压缩机，电动压缩机由_____、_____、集成控制器和高、低压连接线及端子等组成。电动机一般采用体积小、质量小、效率高的_____电机。集成控制器能通过占空比脉宽调制控制信号改变三相正弦交流电的频率和幅值控制电动机的_____和_____，进而控制制冷剂量，调节温度。

4. 写出下图中方框所指零部件的名称：

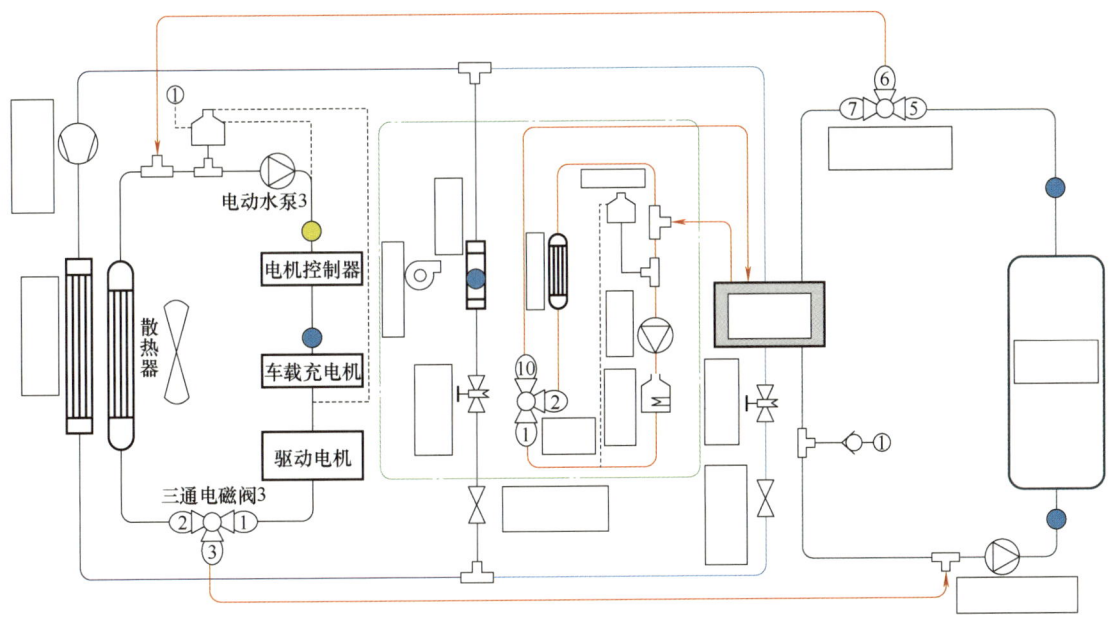

5. 在上图中用"→"标注空调制冷和动力蓄电池冷却同时工作时制冷剂与冷却液的流动路径。

6. 暖风电加热器也称为_____，电动汽车上使用暖风电加热的方式有两种：一种是直接加热经过蒸发箱的_____，实现暖风；另一种是通过_____，再经过循环为暖风水箱提供热量。

7. 水暖 PTC 加热器供暖系统主要由_____、热交换器、_____、_____和连接软管等组成。车载充电机向 PTC 加热器提供动力蓄电池输送的_____，由水暖 PTC 加热器给暖风系统中的_____加热。

8. 空调通风系统由内外循环风门、空调过滤器、_____和面部、脚部及除霜出风口等组成。

9. 吉利 EV450 自动空调控制系统的传感器主要有_____、_____、_____、_____等；执行器主要有_____、_____等。

113

实训任务　新能源汽车电动空调系统的检修

实训器材

吉利 EV450 轿车、故障诊断仪、空调歧管压力表、万用表、常用维修工具和维修手册等。

作业准备

车辆在工位停放周正，铺好车内和车外护套等。

操作步骤

一、空调故障的基本检查

1）用"听、看、摸、测"等汽车空调故障检查方法检查吉利 EV450 轿车空调系统是否存在明显故障。

2）用汽车故障诊断仪读取空调系统的故障码与数据流，并根据故障码或超标数据流信息排除故障。

二、空调电路故障的检查与排除

1. 电源故障

吉利 EV450 空调控制器的电源电路与线束插接器如图 5-23 所示。

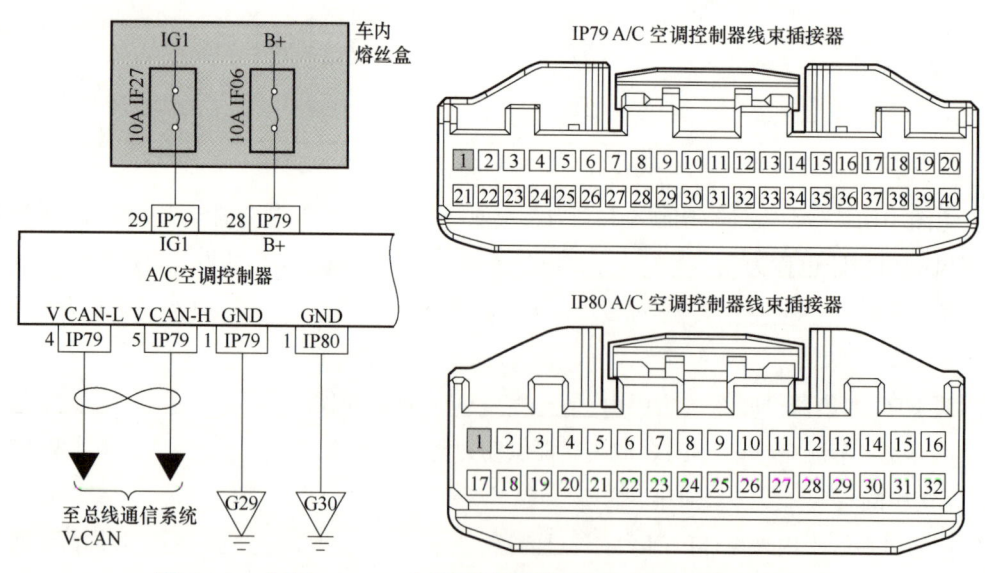

图 5-23　吉利 EV450 空调控制器的电源电路与线束插接器

1）在车内熔丝盒内找到 IF06 和 IF27 熔丝，拔下熔丝检查是否熔断。如熔断还应检查熔丝 IF06 和 IF27 电路是否有短路故障。

2）操作起动开关使电源模式至 OFF 状态。

3）断开 A/C 空调控制器线束插接器 IP79 和 IP80。

4）操作起动开关使电源模式至 ON 状态。

5）分别测量 A/C 空调控制器线束插接器 IP79 端子 28、29 对车身接地的电压。电压标准值：11~14 V。

6）测量 A/C 空调控制器线束插接器 IP79 端子 1 与车身接地之间的电阻值。电阻标准值：小于 1Ω。

7）测量 A/C 空调控制器线束插接器 IP80 端子 1 与车身接地之间的电阻值。电阻标准值：小于 1Ω。

8）如仍然无法检查到故障则更换 A/C 空调控制器。

2. 空调鼓风机不工作

吉利 EV450 空调鼓风机的控制电路与线束插接器如图 5-24 所示。

1）连接汽车故障诊断仪，读取空调系统的故障码为 B118017，则说明鼓风机电压反馈与目标值相差大。

2）在前机舱熔丝盒内拔下熔丝 EF29、SF10，检查是否熔断。

3）拔下鼓风机继电器 ER10，测量继电器 ER10 端子 85 与端子 86 之间电阻，电阻标准值：60~90Ω。如电阻正常，向端子 85 与端子 86 施加 12V 电压，测量端子 30 与端子 87 之间电阻，电阻标准值：小于 1Ω。

4）操作起动开关使电源模式至 OFF 状态。

5）断开 A/C 空调控制器线束插接器 IP79 与 IP80。

6）拆下鼓风机继电器线束插接器。

7）测量 A/C 空调控制器线束插接器端子与鼓风机继电器线束插接器端子之间的电阻值。电阻标准值：小于 1Ω。

8）断开空调主机线束插接器 IP77。

9）测量线束插接器 IP77 的 17 号端子和插接器 IP79 的 24 号端子之间的电阻值。测量线束插接器 IP77 的 18 号端子和插接器 IP79 的 23 号端子之间的电阻值。电阻标准值：小于 1Ω。

10）测量线束插接器 IP77 的 1 号端子与车身接地之间的电阻值。电阻标准值：小于 1Ω。

11）操作起动开关使电源模式至 ON 状态，确认功能是否正常。如鼓风机仍然无法工作再更换鼓风机调速模块。

3. 空调电动压缩机不工作

吉利 EV450 空调电动压缩机的控制电路与线束插接器如图 5-25 所示。

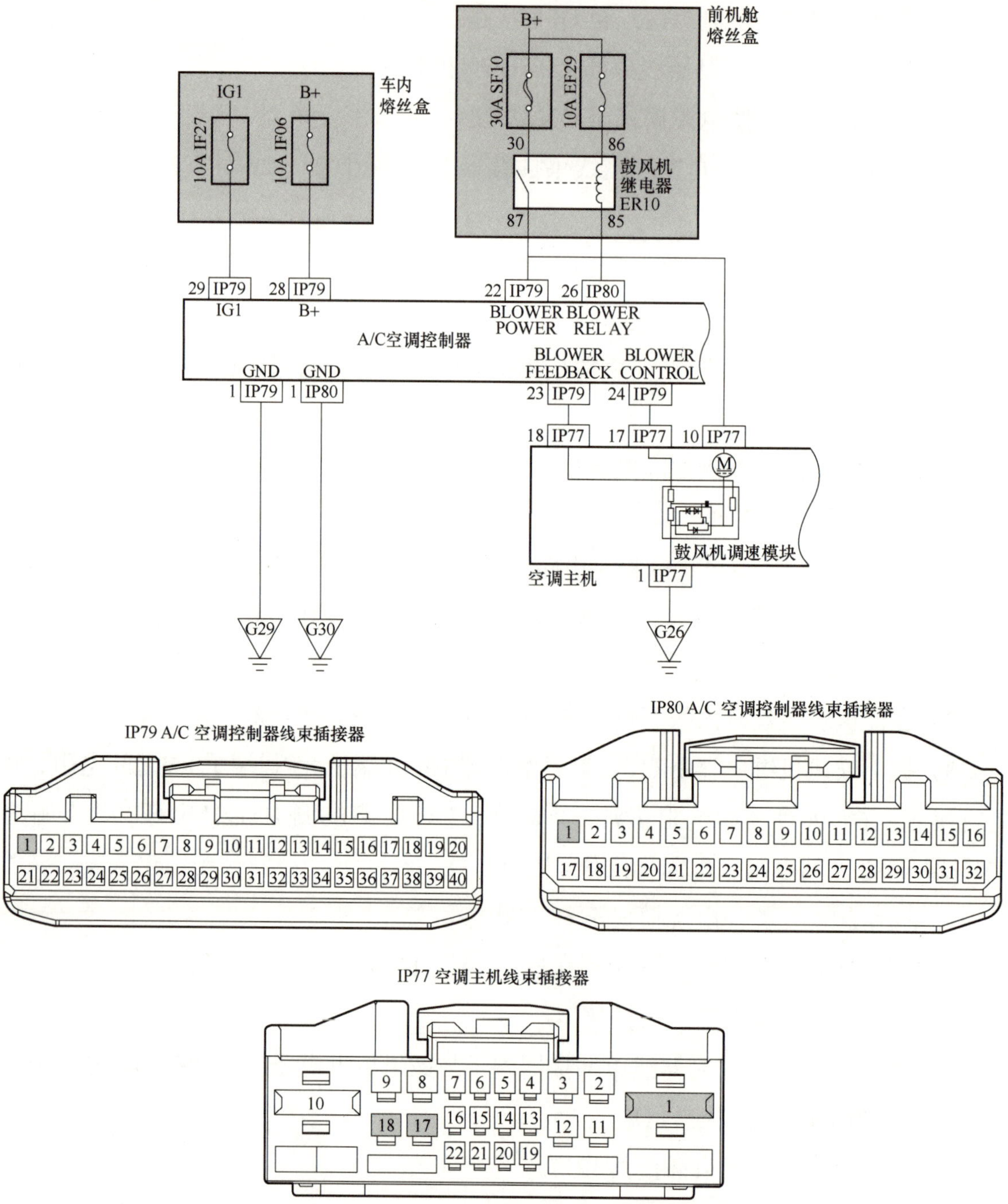

图 5-24 吉利 EV450 空调鼓风机的控制电路与线束插接器

1）连接歧管压力表，检查制冷系统压力是否正常。

2）连接故障诊断仪，读取蒸发器温度传感器信号。检查蒸发器温度传感器显示温度是否过低。标准温度：高于 2℃。

3）检查车外温度传感器显示温度是否过低。标准温度：高于 4℃。

4）在前机舱熔丝盒内拔下熔丝 EF30，检查是否熔断。

5）操作起动开关使电源模式至 OFF 状态。

6）断开压缩机低压线束插接器 BV08。

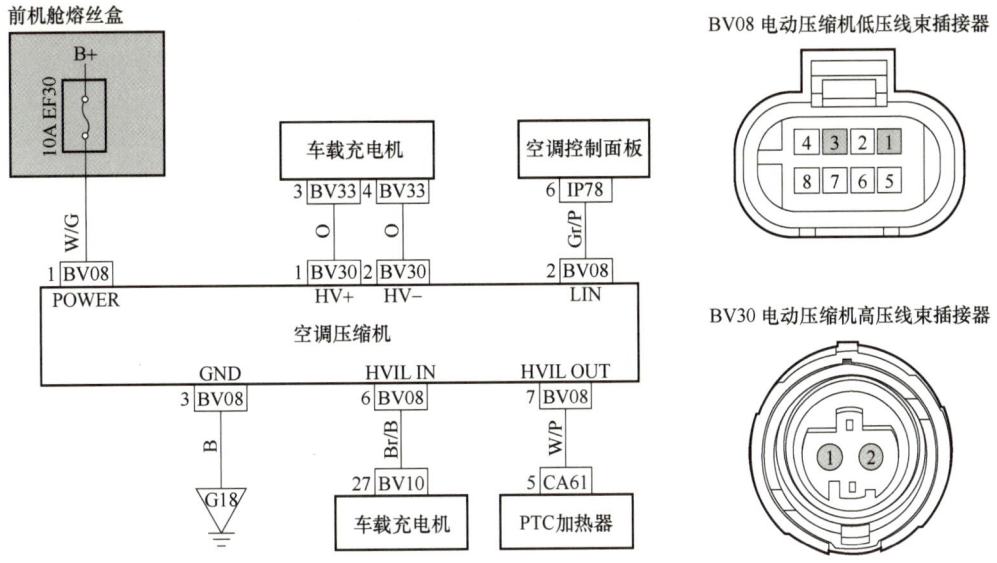

图 5-25　吉利 EV450 空调电动压缩机的控制电路与线束插接器

7）操作起动开关使电源模式至 ON 状态。

8）打开空调，同时用万用表测量压缩机低压线束插接器 BV08 的 1 号端子与 3 号端子之间的电压。电压标准值：11~14V。

9）操作起动开关使电源模式至 OFF 状态。

10）断开车载充电机直流母线。

11）断开电动压缩机高压线束插接器 BV30。

12）连接车载充电机直流母线。

13）操作起动开关使电源模式至 ON 状态。

14）打开空调，同时用万用表测量压缩机高压线束插接器 BV30 端子 1 和端子 2 之间的电压值。电压标准值：274.4~411.6V。

1. 记录车辆信息

新能源汽车电动空调系统的检修	工作任务单	班级：
		姓名：

品牌		整车型号		生产年月	
驱动电机型号		动力蓄电池剩余电量		行驶里程	
车辆识别代号					

2. 分析故障诊断报告

项目	诊断记录				
故障现象					
基本检查	项目名称	判定		项目名称	判定
		□正常 □异常			□正常 □异常
		□正常 □异常			□正常 □异常
		□正常 □异常			□正常 □异常

相关数据流分析

1. 读取及分析故障码

故障码	故障码说明

2. 读取及分析故障码相关数据流

项目名称	数据	判定
		□正常 □异常
		□正常 □异常

相关测量

1. 测量元件

元件名称	条件	标准值	测量值	判定
				□正常 □异常
				□正常 □异常

2. 测量电路

电路端子	条件	标准值	测量值	判定
				□正常 □异常
				□正常 □异常
				□正常 □异常
				□正常 □异常
				□正常 □异常

故障确认及分析	维修措施：维修□ 更换□ 调整□

3. 查询维修手册

序号	部件名称	章节及页码	规格（公制）
1		章　　　　页	
2		章　　　　页	
3		章　　　　页	

模块五 新能源汽车电动空调系统的检修

新能源汽车电动空调系统的检修			实习日期：		
姓名：		班级：	学号：		导师签名：
自评：□熟练 □不熟练		互评：□熟练 □不熟练	师评：□合格 □不合格		
日期：		日期：	日期：		

新能源汽车电动空调系统的检修【评分细则】

序号	评分项	得分条件	分值	评分要求	自评	互评	师评
1	安全/7S/态度	□1. 能进行工位 7S 操作 □2. 能进行设备和工具安全检查 □3. 能进行车辆安全防护操作 □4. 能进行工具清洁、校准、存放操作 □5. 能进行三不落地操作	15	未完成项，每项扣 3 分	□熟练 □不熟练	□熟练 □不熟练	□合格 □不合格
2	专业技能能力	作业 1 □1. 能正确地检查空调是否存在明显故障 □2. 能正确地读取空调系统故障码并清除 □3. 能正确地读取空调系统数据流，并根据数据流判定性能 作业 2 □1 能正确地检查空调电源熔丝是否正常 □2. 能正确地检查电源电路是否断路 □3. 能正确地检查电源电路是否短路 作业 3 □1. 能正确地检查鼓风机熔丝是否正常 □2. 能正确地检查鼓风机继电器是否正常 □3. 能正确地检查鼓风机连接电路是否正常 作业 4 □1. 能正确地测量空调制冷系统压力 □2. 能正确地读取蒸发器温度传感器数据 □3. 能正确地读取车外温度传感器数据 □4. 能正确地测量电动压缩机连接电路是否正常	50	未完成项，每项扣 3 分，扣分不得超过 50 分	□熟练 □不熟练	□熟练 □不熟练	□合格 □不合格
3	工具及设备的使用能力	□1. 能正确地使用维修工具 □2. 能正确地使用故障诊断仪 □3. 能正确地使用万用表 □4. 能正确地使用歧管压力表	10	未完成项，每项扣 3 分，扣分不得超过 10 分	□熟练 □不熟练	□熟练 □不熟练	□合格 □不合格
4	资料、信息的查询能力	□1. 能正确地使用维修手册查询资料 □2. 能正确地记录查询资料的章节及页码 □3. 能正确地记录所需维修信息	10	未完成项，每项扣 3 分	□熟练 □不熟练	□熟练 □不熟练	□合格 □不合格
5	数据判断和分析能力	□1. 能判断出风口温度是否正常 □2. 能判断系统部件外观是否正常 □3. 能判断空调管路压力是否正常 □4. 能判断系统相关数据流是否正常 □5. 能判断相关控制电路是否正常 □6. 能判断相关元件是否正常	10	未完成项，每项扣 3 分，扣分不得超过 10 分	□熟练 □不熟练	□熟练 □不熟练	□合格 □不合格
6	表单填写与报告的撰写能力	□1. 字迹清晰 □2. 语句通顺 □3. 无错别字 □4. 无涂改 □5. 无抄袭	5	未完成项，每项扣 1 分	□熟练 □不熟练	□熟练 □不熟练	□合格 □不合格

总分：

模块六

新能源汽车热泵空调系统的检修

🔧 学习目标

知识目标

1）掌握热泵空调系统的基本组成与工作原理。
2）掌握比亚迪纯电动汽车热泵空调系统的组成与工作过程。

技能目标

1）会正确认知比亚迪纯电动汽车热泵空调系统各部件。
2）会对比亚迪纯电动汽车热泵空调系统进行检漏与制冷剂回收加注。
3）会运用空调检查方法排除比亚迪纯电动汽车热泵空调系统简易故障。

素养目标

1）能够在工作过程中与小组其他成员合作、交流，养成团队合作意识，锻炼沟通能力。
2）养成 7S 的工作习惯。
3）养成服从管理，规范作业的良好工作习惯。

🚙 任务描述

一辆比亚迪海豚纯电动汽车用户反映：空调暖风与制冷效果均不佳，需要对该系统进行检查，确定故障部位并进行修理。

相关知识

目前随着新能源汽车的电气化率不断提高，汽车空调系统逐步向精细化方向发展，其复杂程度也越来越高。目前较多新能源汽车逐渐由电动空调系统升级配置到热泵空调系统。

热泵空调是一种高效节能装置，既可制冷又可制热，制热时以逆循环方式迫使热量从低温物体流向高温物体，它仅消耗少量的逆循环功，就可以得到较大的供热量，从而达到节能和提升汽车续驶里程的目的。

模块六 新能源汽车热泵空调系统的检修

一、热泵空调系统的基本组成与工作原理

1. 基本组成

热泵空调系统主要包括电动压缩机、3 个换热器（车外冷凝器、车内冷凝器和车内蒸发器）、2 个电磁阀（制冷电磁阀和采暖电磁阀）、2 个电子膨胀阀（制冷电子膨胀阀和采暖电子膨胀阀）以及制冷剂压力及温度传感器等，如图 6-1 所示。

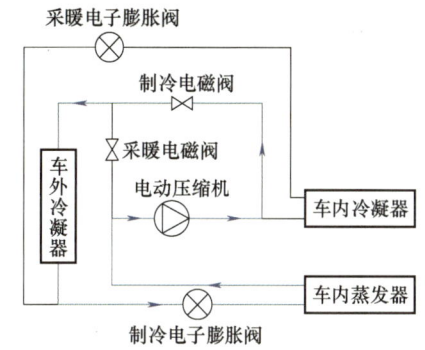

图 6-1 热泵空调系统的基本组成与制冷原理示意图

2. 工作原理

电动压缩机通过高压电驱动，一般为定排量、涡旋式，通过控制电动机转速的变化向空调系统提供所需的制冷剂；电磁阀为开关型，通电时工作而接通管路；电子膨胀阀是按照控制器的指令使步进电动机转动而实现针阀轴向移动，通过改变阀口的流通面积来调节制冷剂的流量，使制冷剂流量与热负荷相匹配。

（1）制冷原理　热泵空调制冷时，图 6-1 中制冷电磁阀及制冷电子膨胀阀工作。从电动压缩机出来的高温、高压制冷剂，经过制冷电磁阀后进入车外冷凝器，与室外空气进行热交换后变为高压、中温液态，经过制冷电子膨胀阀节流后进入车内蒸发器，吸收车内热量后液态制冷剂变为低压、低温气态回流至压缩机，完成制冷循环。

（2）采暖原理　热泵空调采暖时，图 6-2 中采暖电子膨胀阀及采暖电磁阀工作。从电动压缩机出来的高温、高压制冷剂进入车内冷凝器并放热，放热后制冷剂冷却成高压、中温的液体，经过采暖电子膨胀阀节流后进入车外冷凝器，吸收车外环境的热量后液态制冷剂变为低压、低温气态，再经过采暖电磁阀回流至电动压缩机，完成采暖循环。

3. 电子膨胀阀的结构与工作过程

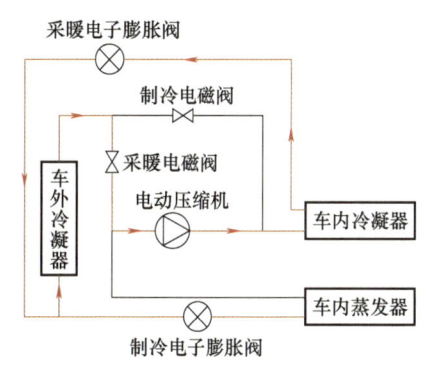

图 6-2 热泵空调采暖原理示意图

（1）结构　电子膨胀阀是按照预设程序调节蒸发器制冷剂量的膨胀阀，因属于电子式调节模式，故称为电子膨胀阀，主要由步进电动机和阀体组成，如图 6-3 所示。

1）步进电动机：内部有转子、线圈和减速齿轮等。线圈接收控制信号，驱动转子旋转，通过减速齿轮带动阀杆移动。步进电动机的精度决定了流量控制的精确性。

2）阀体：包含阀杆、阀针和阀座。阀杆带动阀针上下移动改变制冷剂的流通面积。

（2）工作过程　电子膨胀阀的工作过程如图 6-4 所示，温度传感器检测蒸发器

121

出口的温度，压力传感器检测蒸发器出口的制冷剂压力，这些数据被发送到控制器（ECU）。控制器根据传感器数据计算蒸发器的过热度（过热度过高表示制冷剂不足，过低表示制冷剂过多），再计算出所需的制冷剂流量，然后向步进电动机发送脉冲信号，驱动阀针移动，阀针的移动会改变阀口的开度，从而调节制冷剂的流量。当蒸发器负荷增加时，控制器增大阀口开度，增加制冷剂流量；当蒸发器负荷减少时，控制器减小阀口开度，减少制冷剂流量。

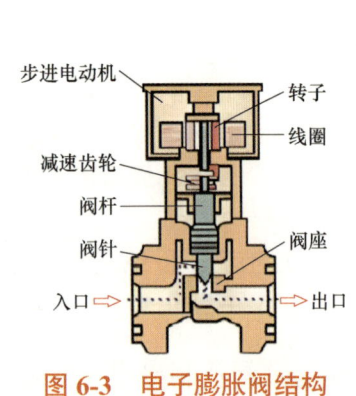

图 6-3 电子膨胀阀结构

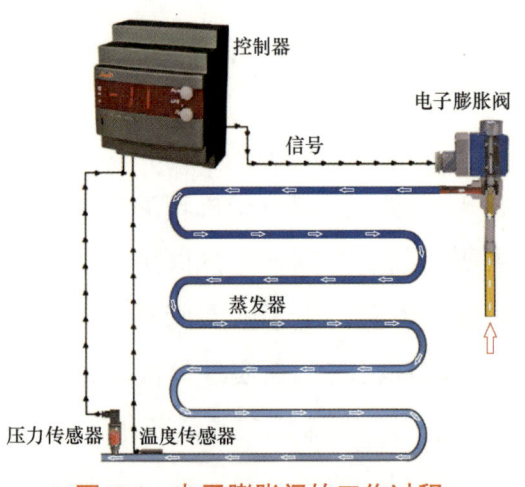

图 6-4 电子膨胀阀的工作过程

二、比亚迪纯电动汽车热泵空调系统的组成与工作原理

1. 组成

比亚迪部分纯电动车型热泵空调系统主要由电动压缩机、电子风扇、驱动电机散热器、车外冷凝器、车内冷凝器、车内蒸发器、动力蓄电池直冷直热板（位于动力蓄电池内部）、气液分离器、热管理集成模块以及板式换热器（位于热管理集成模块下方）等组成，制冷剂为 R134a。

热管理集成模块上集成了 6 个电磁阀和 3 个电子膨胀阀（图 6-5）以及 9 个制冷剂管接头（图 6-6）。

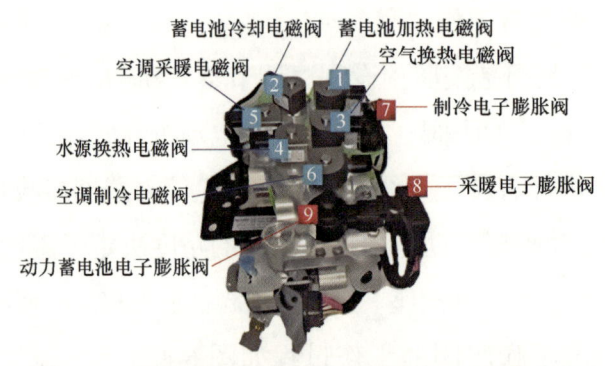

图 6-5 热管理集成模块的电磁阀与电子膨胀阀

模块六　新能源汽车热泵空调系统的检修

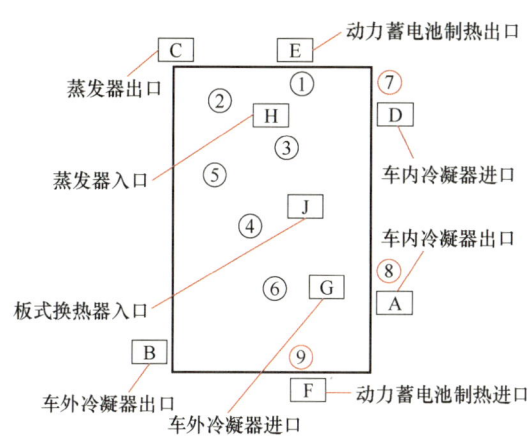

图 6-6　热管理集成模块的管路连接

2. 工作原理

比亚迪部分纯电动车型热泵空调系统原理示意图如图 6-7 所示。它除了可以实现车内制冷、车内采暖功能外，还能实现通过制冷剂对动力蓄电池直接冷却、直接加热功能，以及对驱动电机、电机控制器等电驱单元热量利用等五大功能，实现了整车智能综合热管理。搭载热泵空调技术的纯电动汽车的冬季续驶能力提升了 10% 以上。图中 PT-1、PT-2 表示两个制冷剂压力及温度传感器，P-1 表示制冷剂压力传感器，T-1、T-2 表示两个制冷剂温度传感器。

比亚迪部分纯电动车型热泵空调系统取消了传统纯电动汽车的高压 PTC 加热器，替换为低压风加热 PTC 加热器（1kW），用于极低温环境温度下辅助采暖。

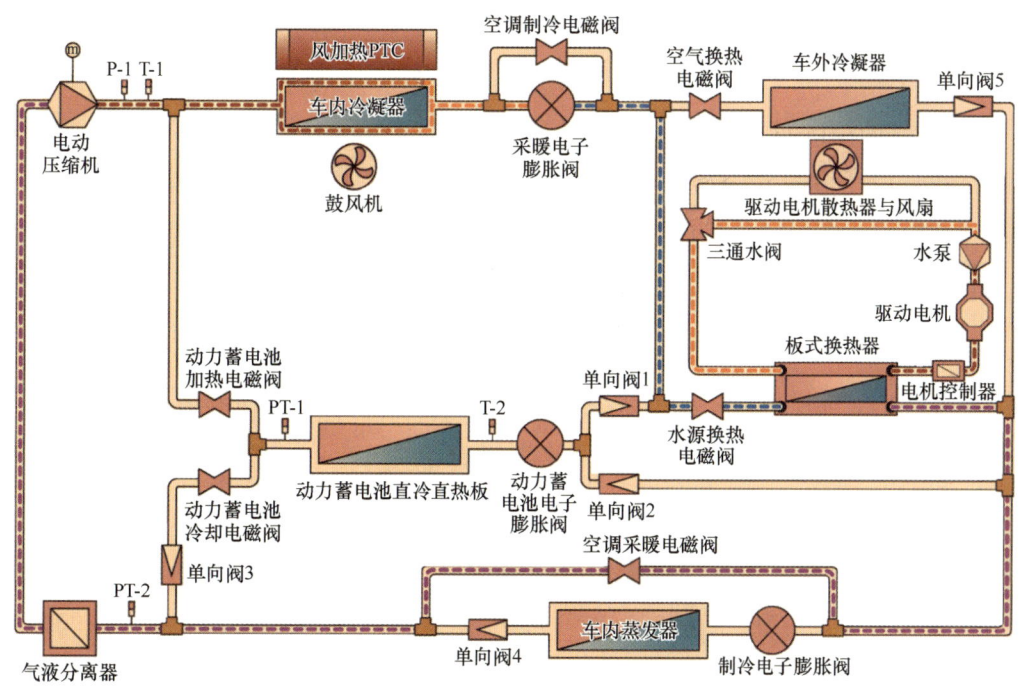

图 6-7　比亚迪部分纯电车型热泵空调系统原理示意图

(1) 空调制冷　当车辆高温行驶（或停止）时，打开空调系统制冷，起动电动压缩机，制冷电子膨胀阀工作，空调制冷电磁阀及空气换热电磁阀均打开，制冷剂通过车外冷凝器放热，车内蒸发器吸收车内热量。

空调制冷时，制冷剂的流动路线为：电动压缩机→冷凝器→空调制冷电磁阀→空气换热电磁阀→车外冷凝器→单向阀5→制冷电子膨胀阀→车内蒸发器→单向阀4→气液分离器→电动压缩机，如图6-8所示。

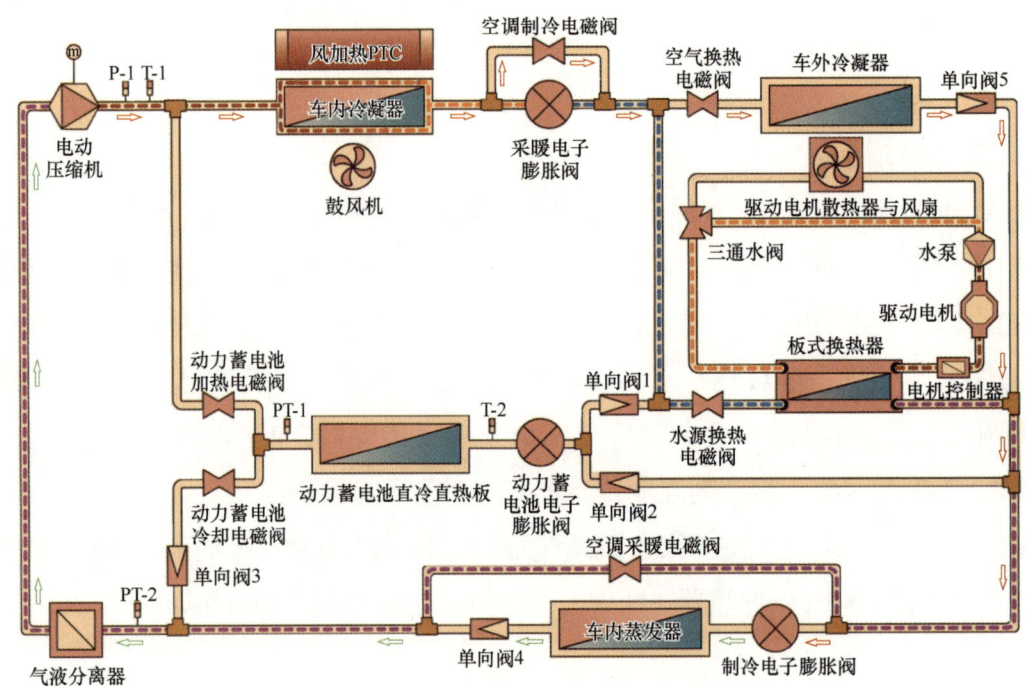

图6-8　空调制冷时制冷剂的流动路线

(2) 空调采暖　当车辆低温行驶（或停止）时，打开空调系统采暖，起动电动压缩机，采暖电子膨胀阀工作、水源换热电磁阀及空调采暖电磁阀均打开，制冷剂通过车内冷凝器放热，通过板式换热器吸收驱动电机、电机控制器等电驱动单元的热量。极低温情况下，可以起动PTC加热器辅助加热，增大热泵空调的适用温度范围。

空调采暖时，制冷剂的流动路线为：电动压缩机→车内冷凝器→采暖电子膨胀阀→水源换热电磁阀→板式换热器→空调采暖电磁阀→气液分离器→电动压缩机，如图6-9所示。

(3) 动力蓄电池加热　当低温环境下充电，为缩短充电时间，或者是车辆低温行驶时，为改善低温下整车的动力性，提升低温时整车续驶里程，热泵空调工作对动力蓄电池直接进行加热。此时，动力蓄电池电子膨胀阀工作，动力蓄电池加热电磁阀、水源换热电磁阀和空调采暖电磁阀均打开，制冷剂通过板式换热器吸收电驱动单元余热,加热动力蓄电池直冷直热板。

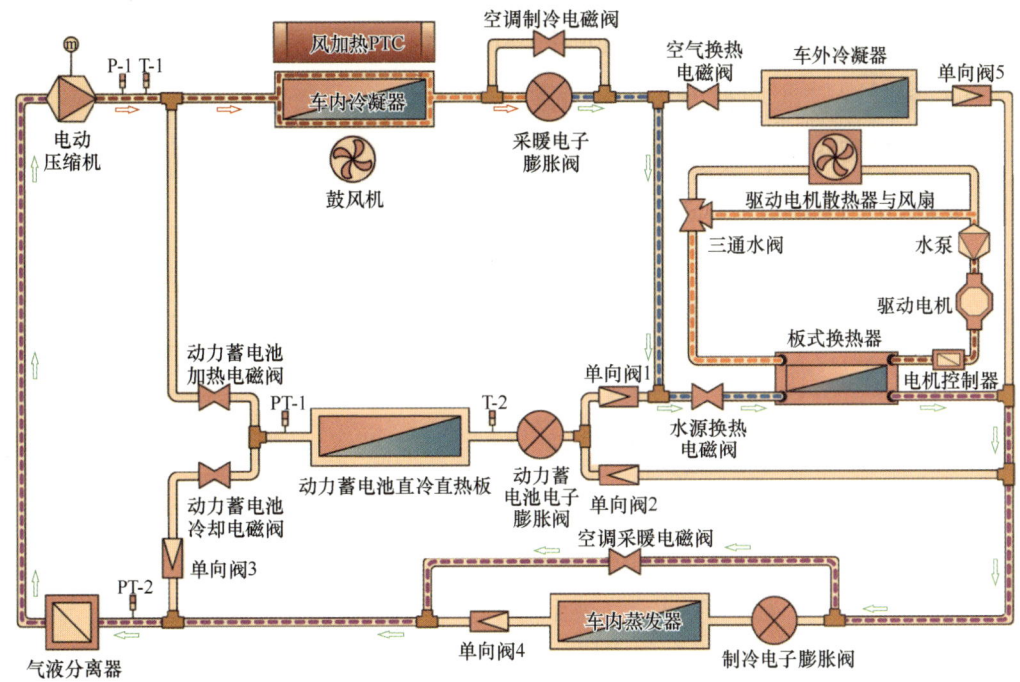

图 6-9　空调采暖时制冷剂的流动路线

动力蓄电池加热时,制冷剂的流动路线为:电动压缩机→动力蓄电池加热电磁阀→动力蓄电池直冷直热板(位于动力蓄电池内部)→动力蓄电池电子膨胀阀→单向阀1→水源换热电磁阀→板式换热器→空调采暖电磁阀→气液分离器→电动压缩机,如图 6-10 所示。

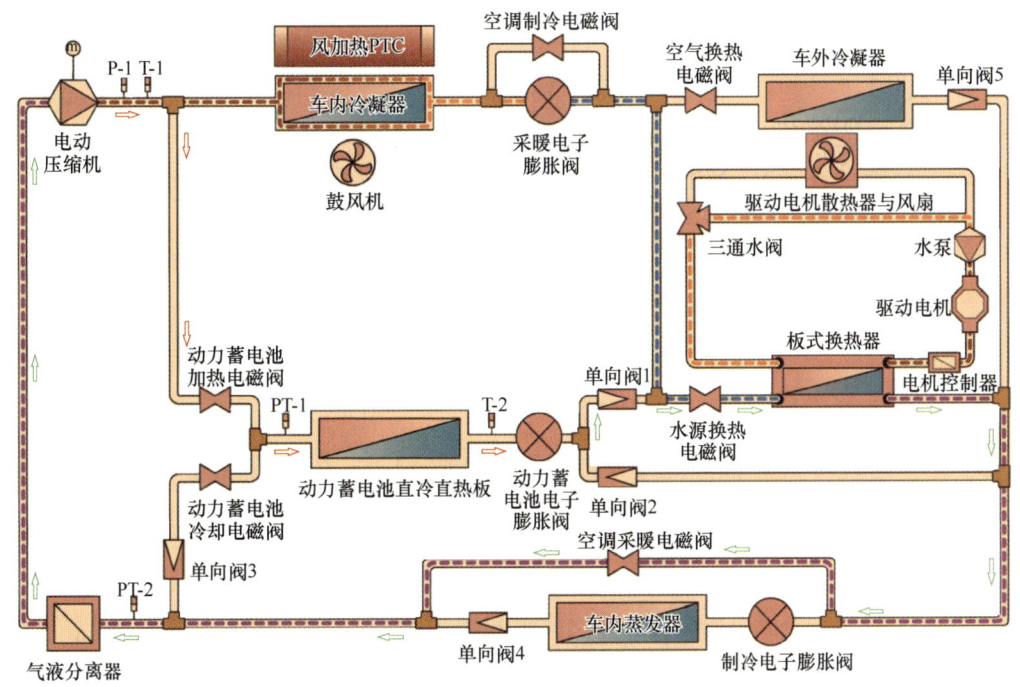

图 6-10　动力蓄电池加热时制冷剂的流动路线

(4) 空调采暖和动力蓄电池同时加热　当车辆低温行驶或低温充电时，若需要同时给乘员舱采暖和动力蓄电池加热，那么热泵空调系统起动电动压缩机，采暖电子膨胀阀和动力蓄电池电子膨胀阀同时工作，水源换热电磁阀、动力蓄电池加热电磁阀及空调采暖电磁阀均打开，制冷剂吸收电驱动单元余热，在车内冷凝器和动力蓄电池直冷直热板内放热，若有必要，还可以起动 PTC 加热器辅助加热。制冷剂的流动路线如图 6-11 所示。

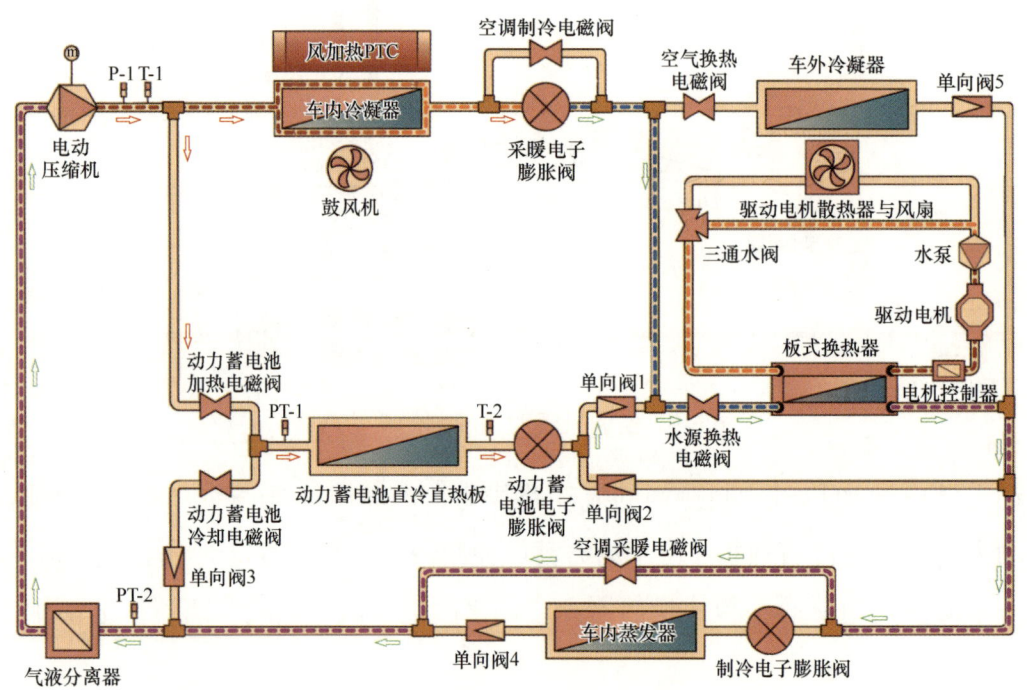

图 6-11　空调采暖和动力蓄电池同时加热时制冷剂的流动路线

(5) 动力蓄电池冷却　动力蓄电池在充电特别是大功率充电时，为了防止其温度过高，热泵空调工作，对动力蓄电池直接进行冷却；车辆行驶时，当动力蓄电池温度高于设定值，热泵空调也开始工作。此时，动力蓄电池电子膨胀阀工作，空调制冷电磁阀、空气换热电磁阀和动力蓄电池冷却电磁阀均打开。制冷剂通过车外冷凝器放热，通过动力蓄电池直冷直热板吸热。

动力蓄电池冷却时，制冷剂的流动路线为：电动压缩机→冷凝器→空调制冷电磁阀→空气换热电磁阀→车外冷凝器→单向阀5→单向阀2→动力蓄电池电子膨胀阀→动力蓄电池直冷直热板（位于动力蓄电池内部）→动力蓄电池冷却电磁阀→单向阀3→气液分离器→电动压缩机，如图 6-12 所示。

(6) 空调制冷和动力蓄电池同时冷却　车辆充电或者车辆行驶时，若同时需要车内制冷以及动力蓄电池冷却，那么热泵空调系统起动电动压缩机，此时，动力蓄电池电子膨胀阀和制冷电子膨胀阀同时工作，空调制冷电磁阀、空气换热电磁阀和动力蓄电池冷却电磁阀均打开。制冷剂的流动路线如图6-13所示。

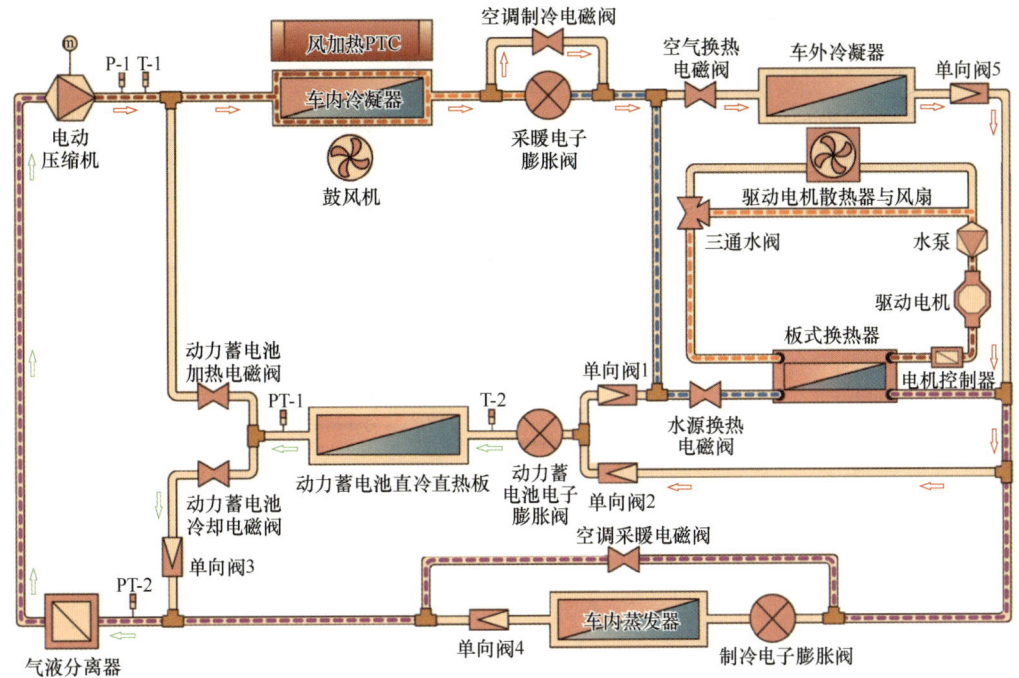

图6-12 动力蓄电池冷却时制冷剂的流动路线

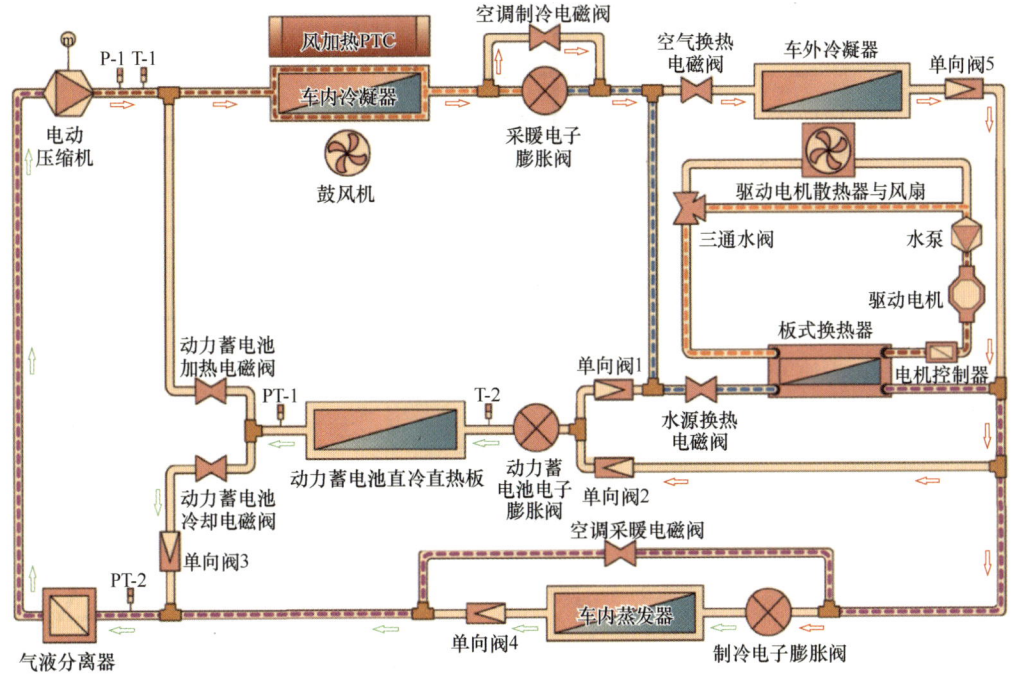

图6-13 空调制冷和动力蓄电池同时冷却时制冷剂的流动路线

3. 控制电路

比亚迪海豚纯电动汽车热泵空调系统控制电路如图6-14所示。

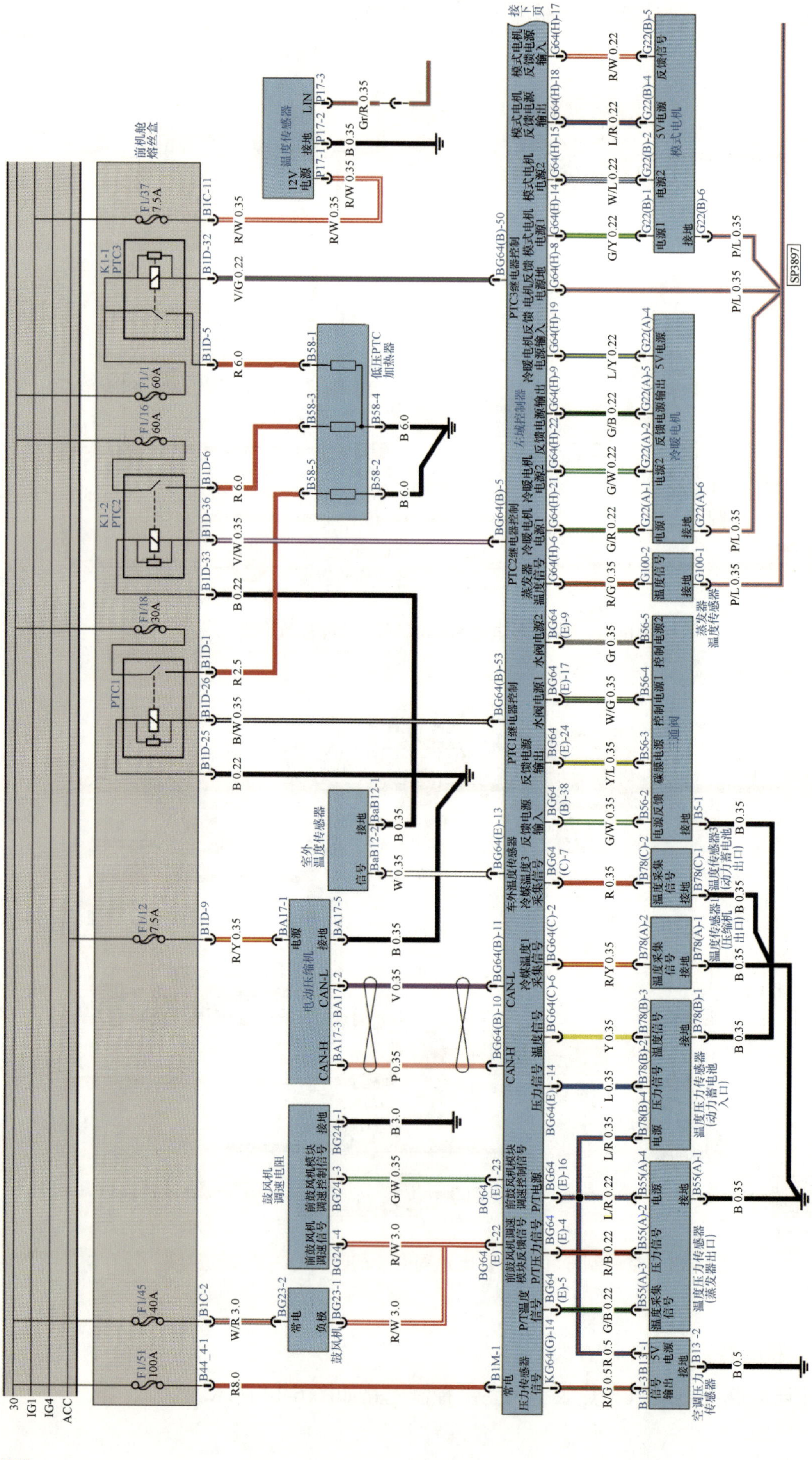

图 6-14 比亚迪海豚纯电动汽车热泵空调系统控制电路

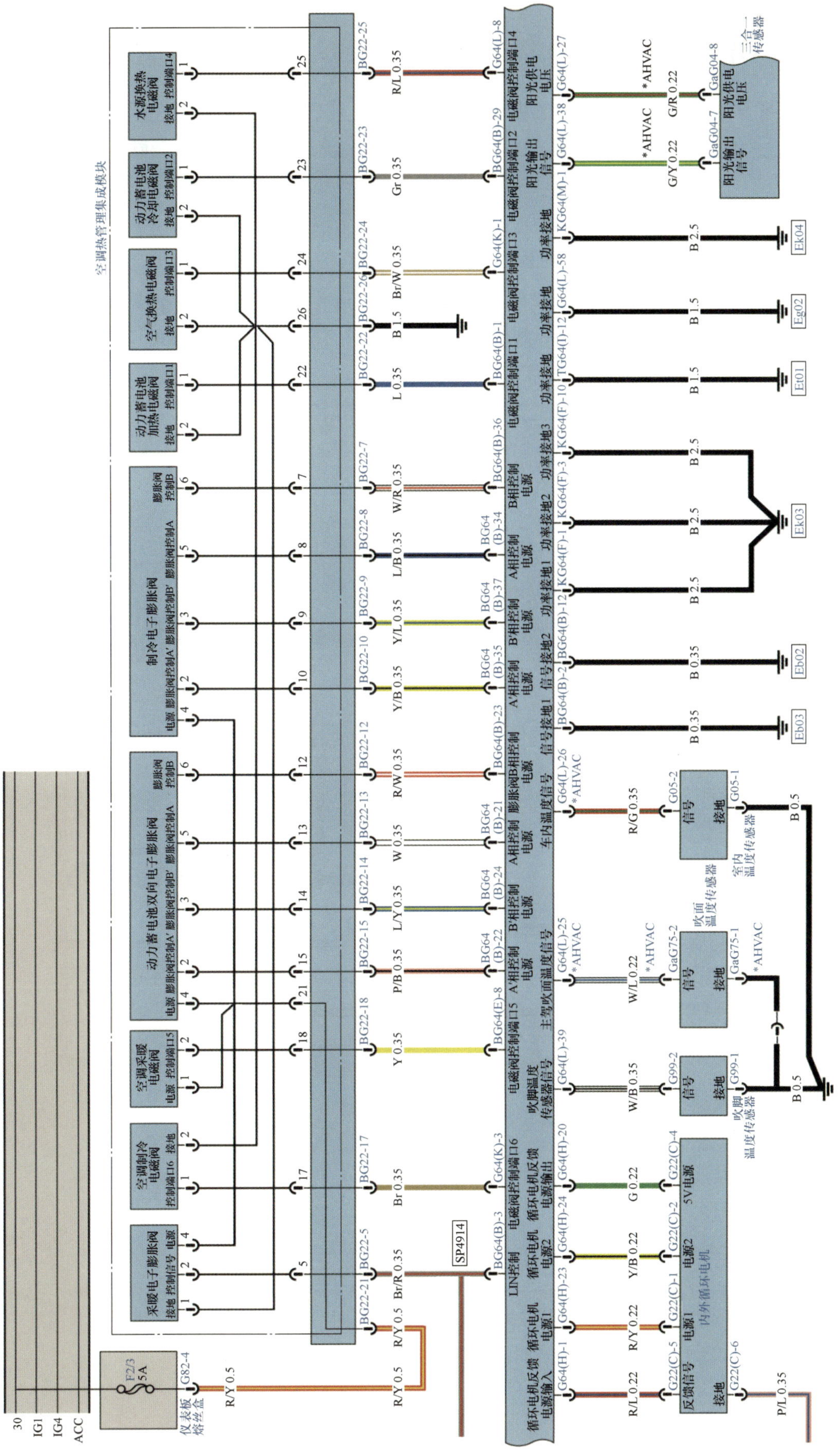

模块六 新能源汽车热泵空调系统的检修

图 6-14 比亚迪海豚纯电动汽车热泵空调系统控制电路（续）

新能源汽车热泵空调系统的检修	学习任务单	班级：
		姓名：

1. 汽车热泵空调系统的基本组成中主要包括_____、3个_____、2个_____、2个电子膨胀阀（制冷电子膨胀阀和采暖电子膨胀阀）以及制冷剂压力及温度传感器等。

2. 在右图中用黑色"→"标注热泵空调制冷时制冷剂的循环路径，用红色"→"标注热泵空调采暖时制冷剂的循环路径。

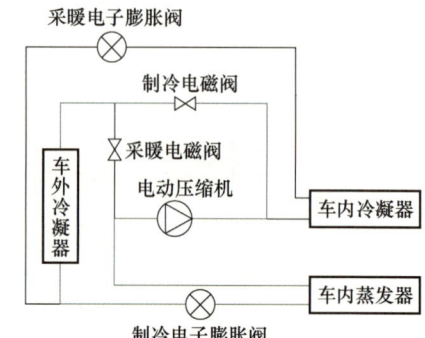

3. 电子膨胀阀主要由_____和阀体组成，当蒸发器负荷增加时，控制器_____阀口开度，增加制冷剂流量；当蒸发器负荷减少时，控制器_____阀口开度，减少制冷剂流量。

4. 写出下图中数字所指零部件的名称。

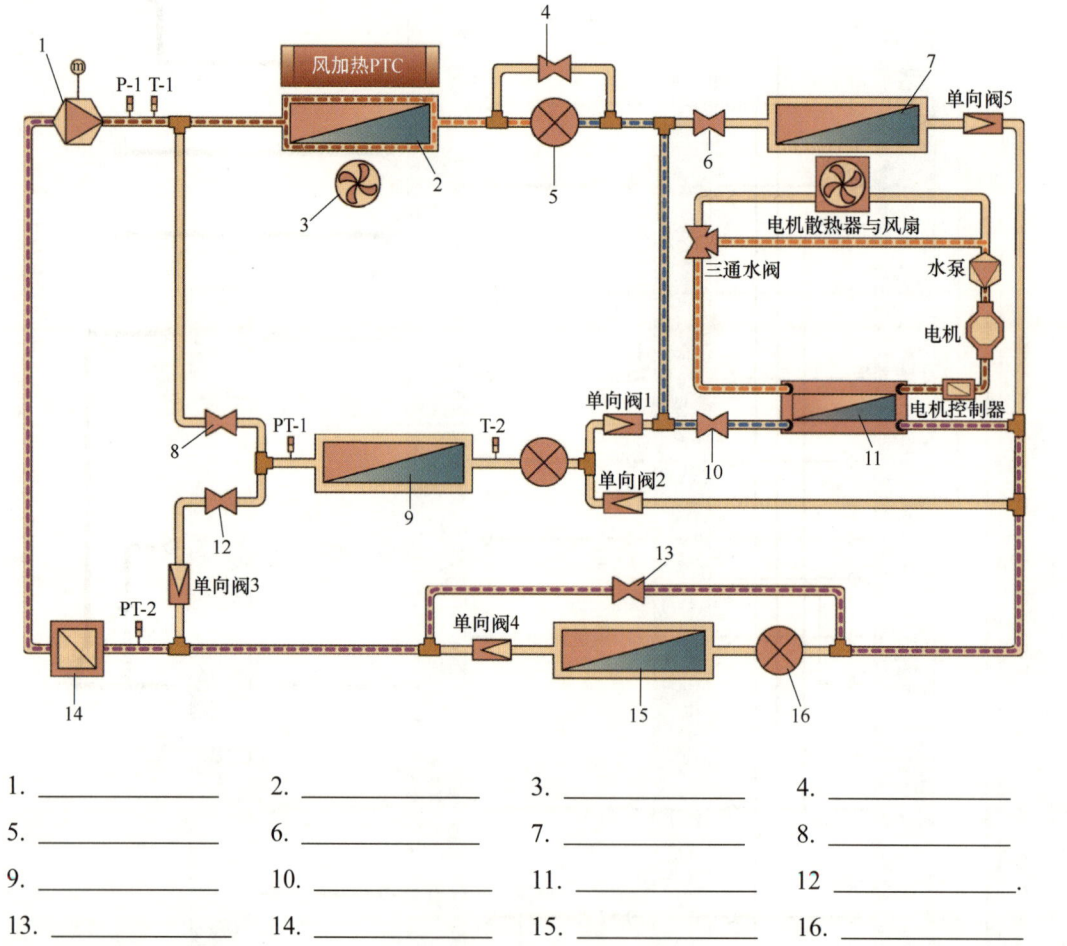

1. _____   2. _____   3. _____   4. _____
5. _____   6. _____   7. _____   8. _____
9. _____   10. _____   11. _____   12. _____
13. _____   14. _____   15. _____   16. _____

5. 在上图中用黑色"→"标注空调制冷和动力蓄电池同时冷却时制冷剂的流动路径，用红色"→"标注空调采暖和动力蓄电池同时加热时制冷剂的流动路径。

实训任务 新能源汽车热泵空调系统的检修

实训器材

比亚迪海豚纯电动汽车、歧管压力表、电子检漏仪、温度计、制冷剂鉴别仪、荧光检漏设备、真空泵、回收加注机、制冷剂、冷冻油、常用维修工具和维修手册等。

作业准备

车辆在工位停放周正,铺好车内和车外护套等。

操作步骤

一、空调制冷不够的故障诊断与排除

1. 检查空调出风口温度

1)将空调调整到低风速状态。

2)开启空调内循环。

3)使用温度计测量空调出风口温度,正常出风口温度为 5~8℃,如测量值超标较多,则说明空调制冷不够。

2. 检查冷凝器

检查冷凝器表面积垢是否过多,如积垢过多,则清洁或更换冷凝器。

3. 检查空调系统制冷剂压力

1)连接歧管压力表或冷媒回收加注机,将起动开关置于 OK 档位置,并开启空调。

2)检查空调系统制冷剂正常压力值是否在表 6-1 的范围内,若超出范围,则说明制冷系统存在故障。

表 6-1 制冷剂压力值

压力表	条件	压力值
系统压力	关闭空调制冷模式	0.73~0.83MPa
高压压力	开启空调制冷模式	1.47~1.67MPa
低压压力	开启空调制冷模式	0.15~0.25MPa

3)如果制冷剂压力值均正常,则检查空调模式风门分配是否正常。

4. 检查空调管路是否泄漏

1)如果检查空调系统制冷剂高压压力与低压压力值均偏低,则说明空调管路存在泄漏。

2）目视检查制冷系统各部件与管路表面是否有油渍，有油渍则说明该处可能存在泄漏。

3）用压力检漏法、电子检漏仪检漏法或荧光剂检漏法排查及更换相关部件或管路。

5. 鉴别、回收与加注制冷剂

1）用制冷剂鉴别仪判断制冷剂是否达到回收标准（回收标准：R134a 纯度达到 96% 以上）。

2）用回收加注机回收制冷剂。

3）更换存在泄漏的部件或管路。

4）用回收加注机对空调管路进行抽真空（约 30min），关闭回收加注机高、低压压力表的手动阀门，等待 20min 观察压力表读数，如果压力增加超过 2kPa，则说明空调系统还有泄漏。如果压力表压力值没有变化，则说明泄漏故障已排除。

5）用回收加注机按维修手册标准加注冷冻机油。

6）用回收加注机按维修手册标准加注制冷剂。

二、电动压缩机不工作的故障诊断与排除

比亚迪海豚纯电动汽车空调电动压缩机的低压控制电路如图 6-15 所示。

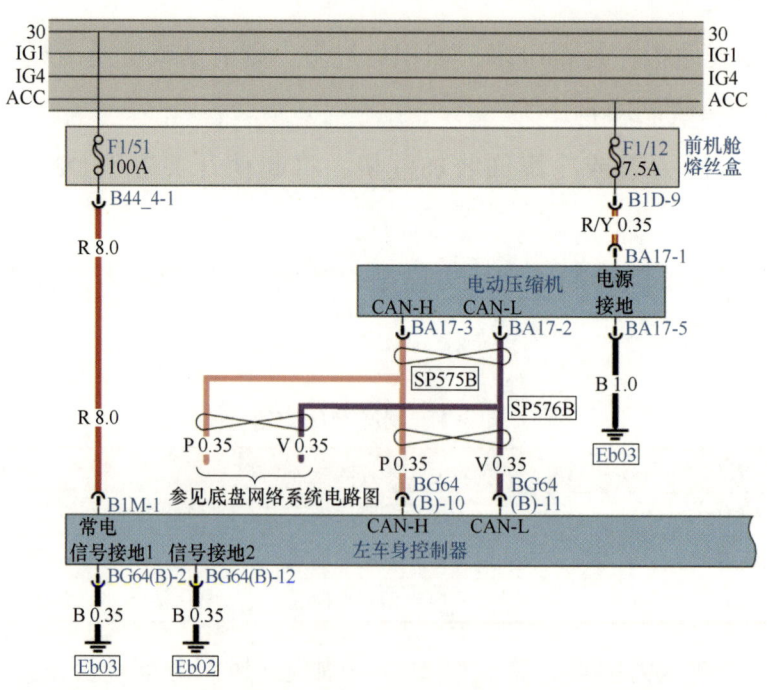

图 6-15　比亚迪海豚纯电动汽车空调电动压缩机低压控制电路

1. 检查电动压缩机故障码

1）将汽车故障诊断仪连接到诊断接口。

2）将起动开关置于 ON 档，读取故障码。

3）检查是否显示故障码，如果显示有故障码，则按照故障码所指示方向逐一排除故障。例如显示温度传感器故障码，则先排除温度传感器的故障，如显示压力传感器故障码，则先排除压力传感器的故障。

2. 读取数据流

1）用汽车故障诊断仪数据流读取功能读取 BMS 直流母线高压输出应正常。

2）读取电动压缩机直流母线高压输入应正常，否则应检查电动压缩机高压熔丝是否正常。

3. 检查散热风扇

1）将起动开关置于 ON 档位置，并开启空调。

2）检查散热风扇应正常工作，如不正常则应检查散热器风扇电动机与连接电路等。

4. 检查空调系统制冷剂压力

1）连接歧管压力表或回收加注机。

2）检查空调制冷系统高、低压压力应正常。如果压力过低，则应先排除制冷剂压力过低的故障。

5. 检查电动压缩机电源电路

1）检查前机舱熔丝继电器盒熔丝 F1/12（7.5A）是否正常，如熔断，则更换熔丝。

2）断开电动压缩机线束插接器 BA17，检查电动压缩机线束插接器应连接可靠。

3）将起动开关置于 ON 档位置，测量电动压缩机线束插接器 BA17-1 与接地之间的电压值。标准电压值为 11~14V。如电压低于标准值，则测量电动压缩机线束插接器 BA17-1 与前机舱熔丝盒线束插接器 B1D-9 之间的电阻值应小于 1Ω，否则说明该线路存在断路故障；测量 BA17-1 与接地的电阻值应为无穷大，否则说明该线路存在短路故障。

4）将起动开关置于 OFF 档位置，测量电动压缩机线束插接器 BA17-5 与接地之间的电阻值应大于 1Ω，否则说明该电路存在短路故障。

6. 检查电动压缩机 CAN 线路

1）将起动开关置于 ON 档位置。

2）测量电动压缩机线束插接器 BA17-3（CAN-H）与接地之间的电压值应为 2.5~3.5 V，否则说明该电路存在断路或短路故障。

3）测量电动压缩机线束插接器 BA17-2（CAN-L）与接地之间的电压应为 1.5~2.5 V，否则说明该电路存在断路或短路故障。

4）如经过以上检查都正常，则更换电动压缩机。

工作任务单

新能源汽车热泵空调系统的检修	工作任务单	班级：
		姓名：

1. 记录车辆信息

品牌		整车型号		生产年月	
驱动电机型号		动力蓄电池剩余电量		行驶里程	
车辆识别代号					

2. 分析故障诊断报告

项目	诊断记录				
故障现象					
基本检查	项目名称	判定		项目名称	判定
		□正常 □异常			□正常 □异常
		□正常 □异常			□正常 □异常
		□正常 □异常			□正常 □异常

相关数据流分析	1. 读取及分析故障码		
	故障码	故障码说明	
	2. 读取及分析故障码相关数据流		
	项目名称	数据	判定
			□正常 □异常
			□正常 □异常

相关测量	1. 测量元件				
	元件名称	条件	标准值	测量值	判定
					□正常 □异常
					□正常 □异常
	2. 测量电路				
	电路端子	条件	标准值	测量值	判定
					□正常 □异常
					□正常 □异常
					□正常 □异常
					□正常 □异常

故障确认及分析	维修措施：维修□ 更换□ 调整□

3. 查询维修手册

序号	部件名称	章节及页码	规格（公制）
1		章　　　　　页	
2		章　　　　　页	
3		章　　　　　页	

模块六 新能源汽车热泵空调系统的检修

新能源汽车热泵空调系统的检修			实习日期：		
姓名：		班级：		学号：	
自评：□熟练 □不熟练		互评：□熟练 □不熟练		师评：□合格 □不合格	导师签名：
日期：		日期：		日期：	

新能源汽车热泵空调系统的检修【评分细则】

序号	评分项	得分条件	分值	评分要求	自评	互评	师评
1	安全/7S/态度	□1. 能进行工位 7S 操作 □2. 能进行设备和工具安全检查 □3. 能进行车辆安全防护操作 □4. 能进行工具清洁、校准、存放操作 □5. 能进行三不落地操作	15	未完成项，每项扣 3 分	□熟练 □不熟练	□熟练 □不熟练	□合格 □不合格
2	专业技能能力	作业 1 □1. 能正确地检查空调出风口温度 □2. 能正确地检查冷凝器是否损坏 □3. 能正确地检查空调系统制冷剂压力 □4. 能正确地检查空调管路是否泄漏 □5. 能正确地鉴别、回收与加注制冷剂 作业 2 □1. 能正确地读取空调系统故障码并清除 □2. 能正确地读取系统数据流，并根据数据流判定性能 □3. 能正确地检查散热器风扇是否正常 □4. 能正确地检查空调系统制冷剂压力 □5. 能正确地检查电动压缩机电源电路 □6. 能正确地检查电动压缩机 CAN 线路	50	未完成项，每项扣 3 分，扣分不得超过 50 分	□熟练 □不熟练	□熟练 □不熟练	□合格 □不合格
3	工具及设备的使用能力	□1. 能正确地使用维修工具 □2. 能正确地使用歧管压力表 □3. 能正确地使用故障诊断仪 □4. 能正确地使用制冷剂鉴别仪 □5. 能正确地使用空调检漏设备 □6. 能正确地使用制冷剂回收加注机	10	未完成项，每项扣 3 分，扣分不得超过 10 分	□熟练 □不熟练	□熟练 □不熟练	□合格 □不合格
4	资料、信息的查询能力	□1. 能正确地使用维修手册查询资料 □2. 能正确地记录查询资料的章节及页码 □3. 能正确地记录所需维修信息	10	未完成项，每项扣 3 分	□熟练 □不熟练	□熟练 □不熟练	□合格 □不合格
5	数据判断和分析能力	□1. 能判断出风口温度是否正常 □2. 能判断系统部件外观是否正常 □3. 能判断空调管路压力是否正常 □4. 能判断制冷剂纯度是否正常 □5. 能判断空调管路是否泄漏 □6. 能判断系统相关数据流是否正常 □7. 能判断相关控制电路是否正常	10	未完成项，每项扣 2 分，扣分不得超过 10 分	□熟练 □不熟练	□熟练 □不熟练	□合格 □不合格
6	表单填写与报告的撰写能力	□1. 字迹清晰 □2. 语句通顺 □3. 无错别字 □4. 无涂改 □5. 无抄袭	5	未完成项，每项扣 1 分	□熟练 □不熟练	□熟练 □不熟练	□合格 □不合格

总分：

模块七

舒适系统的设定与维护

学习目标

知识目标

1）掌握电动车窗、电动后视镜、电动座椅和天窗的组成。

2）会分析电动车窗、电动后视镜、电动座椅和天窗电路图。

技能目标

1）能读取舒适各系统的故障码、数据流和动作测试各部件。

2）会清洁和保养舒适系统各部件。

素养目标

1）能够在工作过程中与小组其他成员合作、交流,养成团队合作意识,锻炼沟通能力。

2）养成 7S 的工作习惯。

3）养成服从管理、规范作业的良好工作习惯。

任务描述

一辆丰田卡罗拉轿车用户反映：右前车窗玻璃无法升降,需要对电动车窗系统进行检查,确定故障部位并进行修理。

相关知识

一、电动车窗

1. 电动车窗的作用

为了方便驾驶人和乘客,减轻他们的劳动强度,许多轿车采用了电动车窗,又称为自动车窗,利用电动机来驱动升降器使车窗玻璃上下移动,操作便利并有利于行车安全,如图 7-1 所示。

2. 电动车窗的组成

电动车窗主要由玻璃升降器、升降器电动机、开关（车窗总开关、锁止开关、车窗开关）等组成，如图 7-2 所示。

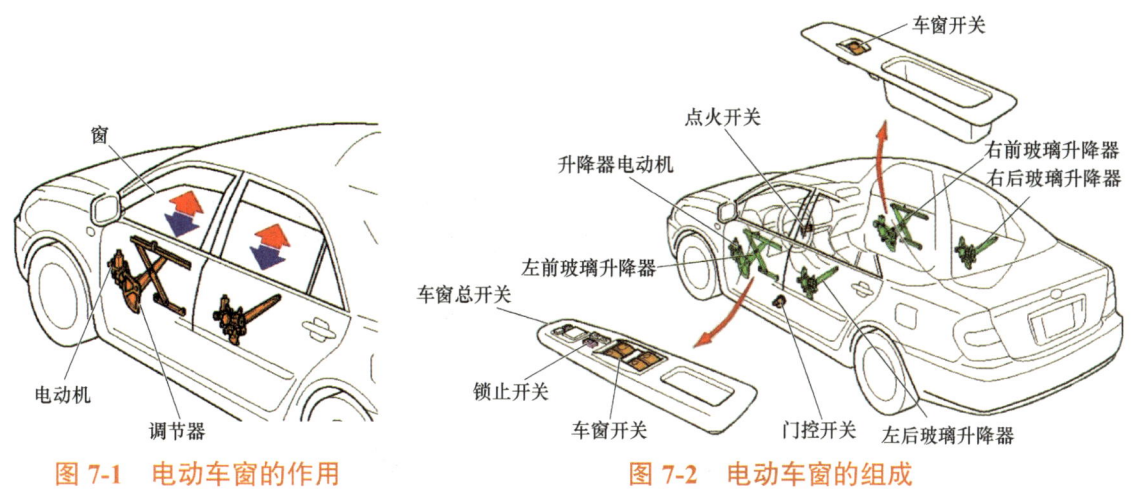

图 7-1　电动车窗的作用　　　　　图 7-2　电动车窗的组成

（1）玻璃升降器　常用的玻璃升降器有齿扇式和钢丝滚筒式两种，如图 7-3 所示。

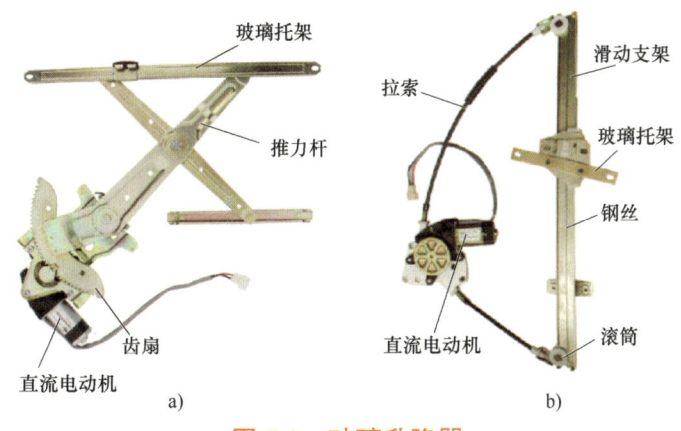

图 7-3　玻璃升降器

a）齿扇式玻璃升降器　b）钢丝滚筒式玻璃升降器

1）齿扇式玻璃升降器通过齿扇来实现换向作用。齿扇上安装有螺旋弹簧，当车窗上升时，螺旋弹簧伸展，释放弹性能量，以减轻电动机负荷；当车窗下降时，螺旋弹簧收缩，吸收能量，从而使车窗无论是上升还是下降，电动机的负荷基本相同。

2）钢丝滚筒式玻璃升降器在直流电动机前端安装有减速机构，其上安装一个绕有钢丝的滚筒，玻璃托架固定在钢丝上且可在滑动支架上移动。

（2）升降器电动机　电动车窗上采用的电动机有永磁式和双绕组串励式两种。其中永磁式应用较多，如图 7-4 所示。通过改变电流的方向它就可实现正向或反向旋转，即能完成玻璃的上升或下降功能。

图 7-4　永磁式车窗电动机

（3）车窗开关　所有电动车窗系统都有两套控制开关：一套是车窗总开关（图 7-5a），安装在驾驶人侧车门扶手上或仪表板上，由驾驶人操纵；另一套为车窗开关（图 7-5b），安装在每个乘客侧车窗中部，可由乘客操纵该窗的升降。但在车窗总开关上安装有车窗锁止开关，如果断开它，所有乘客侧车窗开关就不能控制车窗的升降。

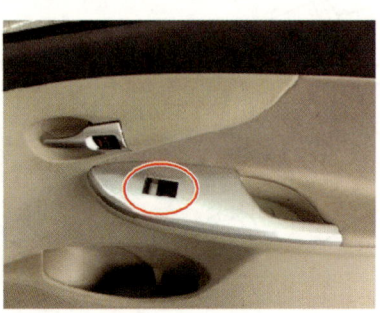

图 7-5　车窗总开关和车窗开关

a）车窗总开关　b）车窗开关

3. 电动车窗的控制电路与工作原理（不带控制器）

图 7-6 所示为较常见的电动车窗控制系统电路图，它采用永磁式直流电动机驱动车窗玻璃升降。

当点火开关处于 IG（运行档）位置时，电动车窗继电器线圈通电，继电器触点吸合，接通蓄电池电源至各车窗控制电动机的电路。位于驾驶人侧的总开关控制驾驶人侧车窗的升降，同时也能控制其他车窗的升降。其他车窗开关只能控制相应的车窗升降。

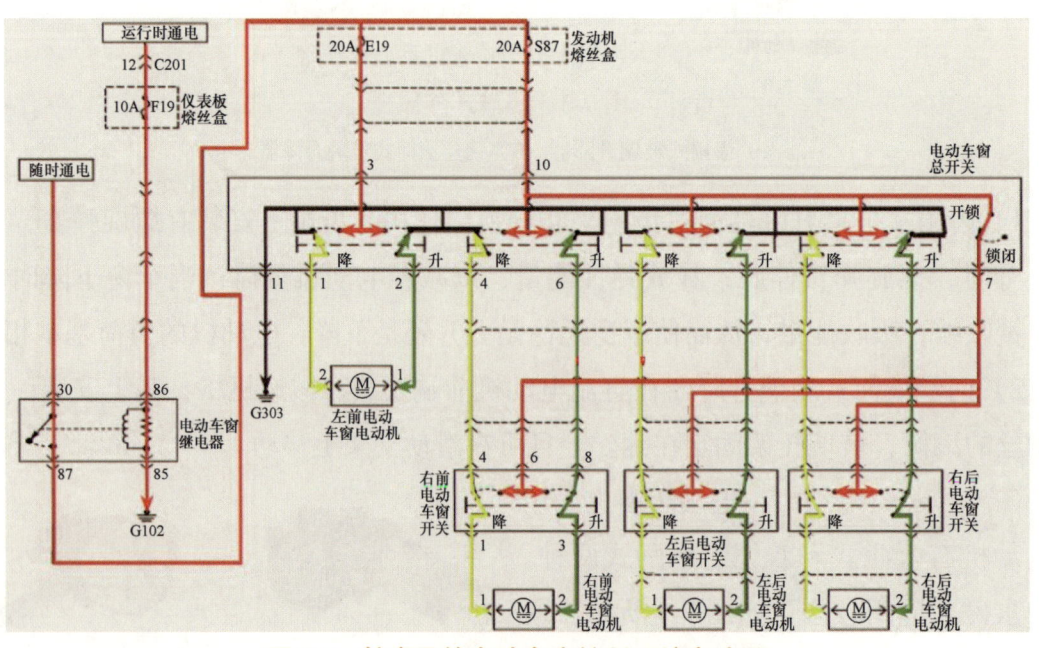

图 7-6　较常见的电动车窗控制系统电路图

（1）驾驶人侧车窗的控制　驾驶人侧车窗的升降由驾驶人侧车窗总开关控制电

模块七 舒适系统的设定与维护

动机的正向和反向运转而实现。

当驾驶人按下（下降）总开关内的驾驶人侧车窗开关时，总开关端子 3-1 和 2-11 接通。电流从蓄电池电源→电动车窗继电器触点→发动机熔丝盒 E19（20A）熔丝→总开关 3 号端子→下降触点→总开关 1 号端子→左前电动车窗电动机 2 号端子→1 号端子→总开关 2 号端子→上升触点→总开关 11 号端子→搭铁。电动机控制回路接通，电动机正转工作，带动车窗玻璃升降器向下运动。

当驾驶人提升（上升）总开关内的驾驶人侧车窗开关时，总开关端子 3-2 和 1-11 接通。电流从蓄电池电源→电动车窗继电器触点→发动机熔丝盒 E19（20A）熔丝→总开关 3 号端子→上升触点→总开关 2 号端子→左前电动车窗电动机 1 号端子→2 号端子→总开关 1 号端子→下降触点→总开关 11 号端子→搭铁。电动机控制回路接通，电动机反转工作，带动车窗玻璃升降器向上运动。

（2）乘客侧车窗的控制　三个乘客侧车窗的控制原理基本相同，现以前排乘客车窗控制为例，前排乘客车窗的控制方式可分为前排乘客开关控制和总开关控制。前排乘客开关控制的前提条件是总开关内的安全开关需闭合。

前排乘客车窗开关控制：

当乘客按下（下降）右前电动车窗开关时，右前电动车窗开关端子 6-3 和 4-1 接通。电流从蓄电池电源→电动车窗继电器触点→发动机熔丝盒 S87（20A）熔丝→总开关 10 号端子→安全开关触点→总开关 7 号端子→右前电动车窗开关 6 号端子→上升触点→右前电动车窗开关 3 号端子→右前电动车窗电动机 2 号端子→1 号端子→右前电动车窗开关 1 号端子→下降触点→右前电动车窗开关 4 号端子→总开关 4 号端子→下降触点→总开关 11 号端子→搭铁。电动机控制回路接通，电动机反转工作，带动车窗玻璃升降器向上运动。

当乘客提升（上升）右前电动车窗开关时，右前电动车窗开关端子 6-1 和 8-3 接通。电流从蓄电池电源→电动车窗继电器触点→发动机熔丝盒 S87（20A）熔丝→总开关 10 号端子→安全开关触点→总开关 7 号端子→右前电动车窗开关 6 号端子→下降触点→右前电动车窗开关 1 号端子→右前电动车窗电动机 1 号端子→2 号端子→右前电动车窗开关 3 号端子→上升触点→右前电动车窗开关 8 号端子→总开关 6 号端子→上升触点→总开关 11 号端子→搭铁。电动机控制回路接通，电动机正转工作，带动车窗玻璃升降器向下运动。

总开关控制：

当驾驶人按下（下降）总开关内的右前电动车窗开关时，总开关端子 6-4 和 11-6 接通。电流从蓄电池电源→电动车窗继电器触点→发动机熔丝盒 S87（20A）熔丝→总开关 10 号端子→下降触点→总开关 4 号端子→右前电动车窗开关 4 号端子→下降

139

触点→右前电动车窗开关1号端子→右前电动车窗电动机1号端子→2号端子→右前电动车窗开关3号端子→上升触点→右前电动车窗开关8号端子→总开关6号端子→上升触点→总开关11号端子→搭铁。电动机控制回路接通，电动机正转工作，带动车窗玻璃升降器向下运动。

当驾驶人提升（上升）总开关内的右前电动车窗开关时，总开关端子5-6和11-4接通。电流从蓄电池电源→电动车窗继电器触点→发动机熔丝盒S87（20A）熔丝→总开关10号端子→上升触点→总开关6号端子→右前电动车窗开关8号端子→上升触点→右前电动车窗开关3号端子→右前电动车窗电动机2号端子→1号端子→右前电动车窗开关1号端子→下降触点→右前电动车窗开关4号端子→总开关4号端子→下降触点→总开关11号端子→搭铁。电动机控制回路接通，电动机反转工作，带动车窗玻璃升降器向上运动。

4. 电动车窗控制电路与工作原理（带控制器）

图7-7为通用威朗轿车左后门和右后门电动车窗控制电路图，该车型车窗控制电路的特点是每个乘客侧车窗开关都是一个控制器，它们通过数据线与车身控制模块（K9）通信，车窗总开关也通过数据线与K9通信，车窗总开关通过数据线和K9可以控制每个车窗玻璃的升降。

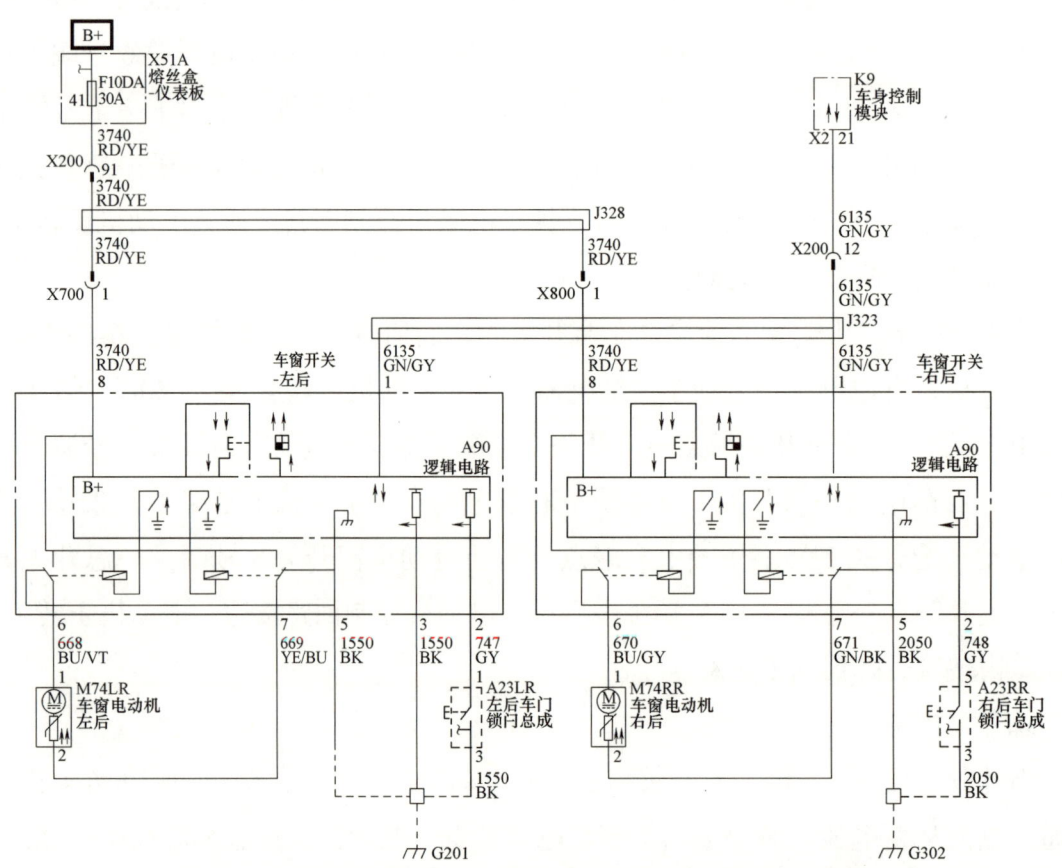

图7-7 通用威朗轿车左后门和右后门电动车窗控制电路图

二、电动后视镜

1. 组成

汽车电动后视镜一般由镜片与固定架、电动机、控制电路及开关（操纵开关和选择开关）等组成，如图7-8所示。

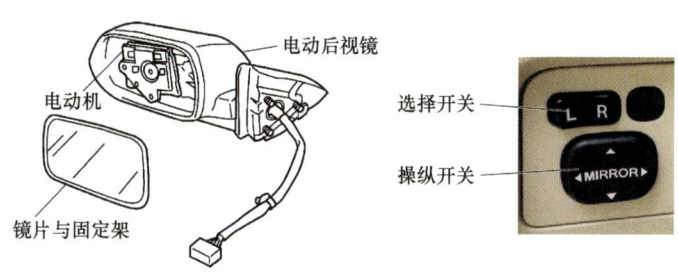

图7-8 电动后视镜的组成

在后视镜镜片的背后有两个可逆电动机，可操纵其上下及左右运动。通常上下方向由一个永磁电动机控制，左右方向由另一个永磁电动机控制。当选择开关按到L时，可以调整左侧后视镜上下和左右倾斜；当选择开关按到R时，可以调整右侧后视镜上下和左右倾斜。

2. 控制电路

图7-9为较常见车型的电动后视镜控制电路。

当驾驶人将选择开关按向L（左）时，选择需要调整左侧后视镜的角度，如驾驶人再按下操纵开关的左按钮时，此时电流从电动后视镜开关的8号端子流入，经操纵开关左触点到选择开关左触点，从5号端子流出，到达左后视镜电动机（左侧），再流入电动后视镜开关6号端子，经操纵开关左/上触点后搭铁。如驾驶人再按下操纵开关的右按钮时，此时电流从电动后视镜开关的8号端子流入，经操纵开关右/下触点从6号端子流出，到达左后视镜电动机（左侧），再流入电动后视镜开关5号端子，经选择开关左触点到操纵开关右触点后搭铁。

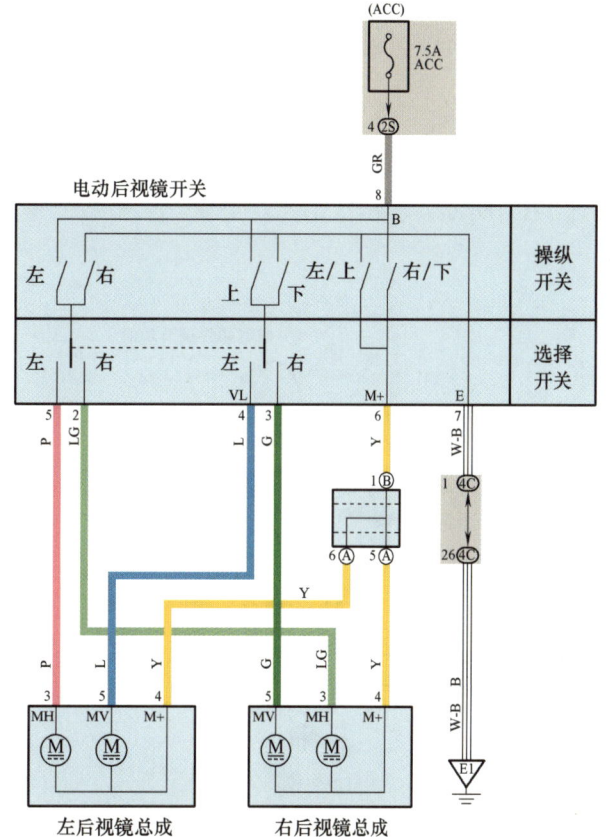

图7-9 较常见车型的电动后视镜控制电路

三、电动座椅

现代中高级轿车的座椅多是电动可调的,又称为电动座椅。因为人们对轿车舒适性的评价多是通过座椅感受的,所以轿车上配备的电动座椅必须要满足便利性和舒适性两大要求,即驾驶人通过操纵键,不仅能使驾驶人获得最好的视野,便于操纵转向盘、踏板和变速杆等,还可以将座椅调整到最佳的位置,获得最舒适和最习惯的乘坐角度。为了满足这些要求,汽车厂家不断采用机械和电子技术手段,制造出可调整的电动座椅。

在座椅造型方面,充分考虑了人体身高、重量、乘坐姿势和重量分布等因素,应用人机工程学等先进技术,制造出乘坐舒适、久坐不乏的座椅。可调式电动座椅应按人体轮廓的要求设计,能为人体的头部、背部、腰部和臀部提供最佳位置,有些还具有加热功能,能在寒冷天气使乘坐更加舒适。由于座椅还起到车厢装饰的作用,因此座椅面料的颜色要与车厢的总色调配合一致,且手感柔和、质地优良,使人们一坐上去就有一种舒适的感觉。

图 7-10 所示为丰田卡罗拉电动座椅,其可实现座椅前后滑动功能、靠背倾斜调节功能、高度升降功能和腰部支撑功能。

1. 组成

电动座椅主要由控制开关、双向电动机、传动机构和调节控制电路等组成,如图 7-11 所示。

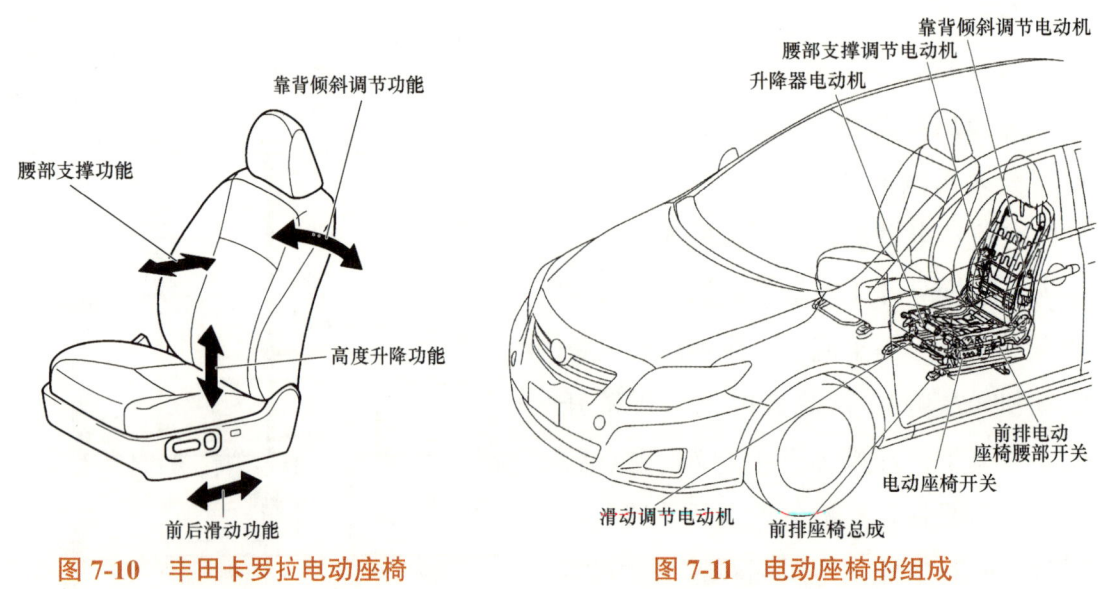

图 7-10 丰田卡罗拉电动座椅　　　图 7-11 电动座椅的组成

电动机的个数取决于座椅调节功能的范围,如果只是调节座椅前后移动,仅需要一个电动机即可实现。在此功能的基础上再加装两个电动机,就可以实现座椅的上下升降、靠背倾斜调节,这就是六向移动座椅,装配三个电动机。很多高级轿车

模块七 舒适系统的设定与维护

还增加了头枕、腰部调节等功能，这些功能使乘坐者更加舒适。所有这些功能的实现都必须通过电动机带动传动机构来实现。

2. 控制电路

图 7-12 所示为较常见车型的电动座椅控制电路。

当驾驶人需要向前倾斜调整座椅靠背时，按下前倾开关，前倾开关接通，电流从电动座椅开关端子 1 流入，经前倾开关触点从端子 3 流出，再流经靠背倾斜调节电动机到电动座椅开关端子 2，经后倾常闭触点后搭铁。

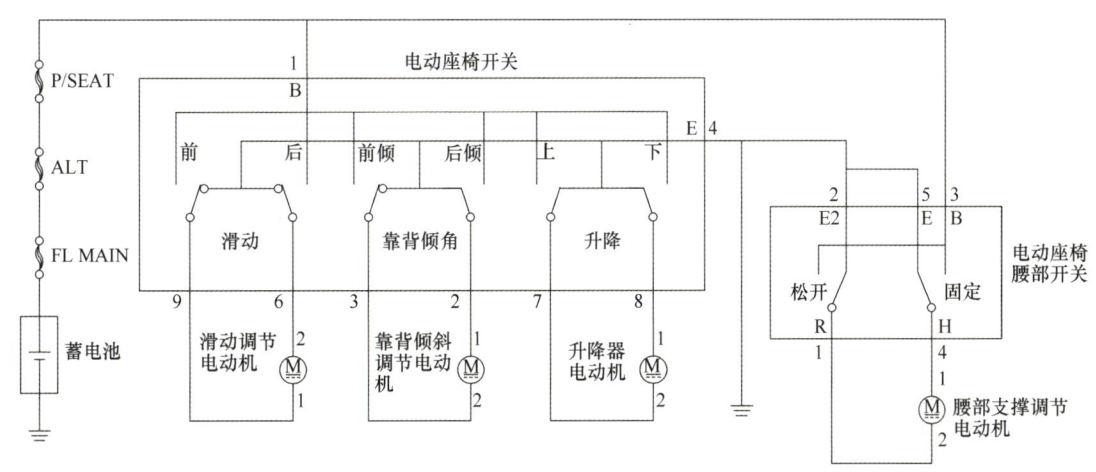

图 7-12　较常见车型的电动座椅控制电路

当驾驶人需要向后倾斜调整座椅靠背时，按下后倾开关，后倾开关接通，电流从电动座椅开关端子 1 流入，经后倾开关触点从端子 2 流出，再流经靠背倾斜调节电动机到电动座椅开关端子 3，经前倾常闭触点后搭铁，此时电流方向与前倾调整时相反，电动机转向也相反，因此一个电动机能实现前倾和后倾的调节。

其他功能的调节原理与倾斜功能类似。

在一些轿车的电动座椅开关中还有控制器，它具有储存记忆功能，只要按下某一个记忆键钮，即可自动将电动座椅调整到储存的位置上。

四、电动天窗

1. 作用

天窗在中高级轿车中装配得非常普遍，它具有通风换气、除雾和开阔视野等功能，如图 7-13 所示。

（1）**通风换气**　换气是汽车加装天窗最主要的目的。汽车天窗改变了用侧窗换气的方法，天

图 7-13　电动天窗

窗是利用负压换气的原理，依靠汽车在行驶时气流在车顶快速流动形成的负压，将车内污浊的空气抽出。由于不是直接进风，而是将污浊的空气抽出以及新鲜的空气从进气口补充的方式进行通风换气，因此车内气流极其柔和，没有风直接刮在身上的不适感，也不会有尘土卷入。

（2）除雾　春夏两季雨水多、湿度大，前风窗玻璃常有雾气，车内空气也容易污浊，这时打开天窗至后翘通风位置，顷刻间雾气消失，空气清新，又无雨水进入车内，给驾驶过程增加了舒适与安全感。

（3）开阔视野　天窗可以使驾乘人的视野开阔，并且能够亲近自然和沐浴阳光，驱除被封在车厢内的压抑感。

2. 结构

汽车天窗的基本结构如图 7-14 所示。它主要由控制开关、滑动机构、电动机与天窗控制器和排水管等组成。

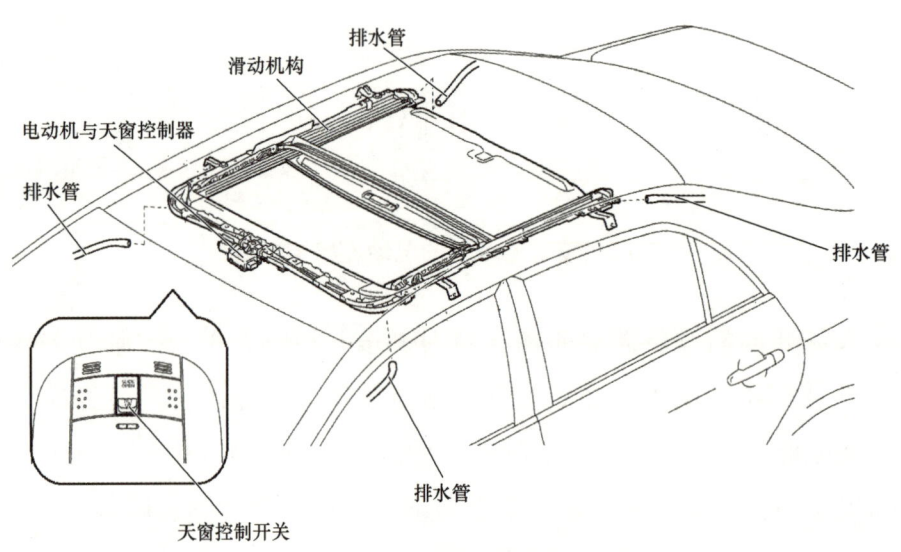

图 7-14　汽车天窗的基本结构

控制开关主要包括滑动开关和斜升开关。滑动开关有滑动打开、滑动关闭和断开（中间位置）三个档位。斜升开关也是有斜升、斜降和断开（中间位置）三个档位。通过操作这些开关，天窗电动机可以实现正反转，使天窗呈现不同状态。

天窗控制器与电动机一般做成一体，电动机通过传动装置向天窗的开闭提供动力。电动机能双向转动，即通过改变电流的方向以改变电动机的旋转方向，实现天窗的开闭。

天窗的四个角落都设有排水管，天窗最常见的故障就是排水管堵塞或脱落造成汽车顶棚漏水。

3. 控制电路

1）图 7-15 所示为丰田卡罗拉天窗控制电路图。该车型只有滑动开关，没有斜升开关。天窗控制 ECU 由端子 1、2 和 5 提供电源；接收天窗控制开关的信号就可以控制电动机的正反向转动，即可控制天窗的开闭。

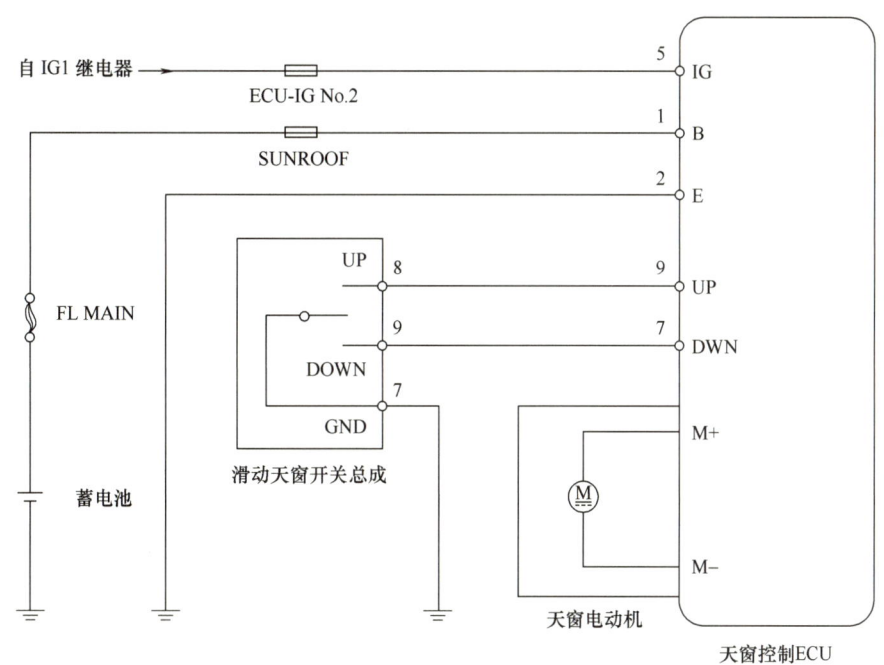

图 7-15　丰田卡罗拉天窗控制电路图

2）图 7-16 所示为通用威朗汽车天窗控制电路图。该车型的天窗滑动开关和斜升开关位于不同位置时的电阻值不同，天窗控制模块通过接收不同的电压降信号，即可完成对电动机的正反向控制。

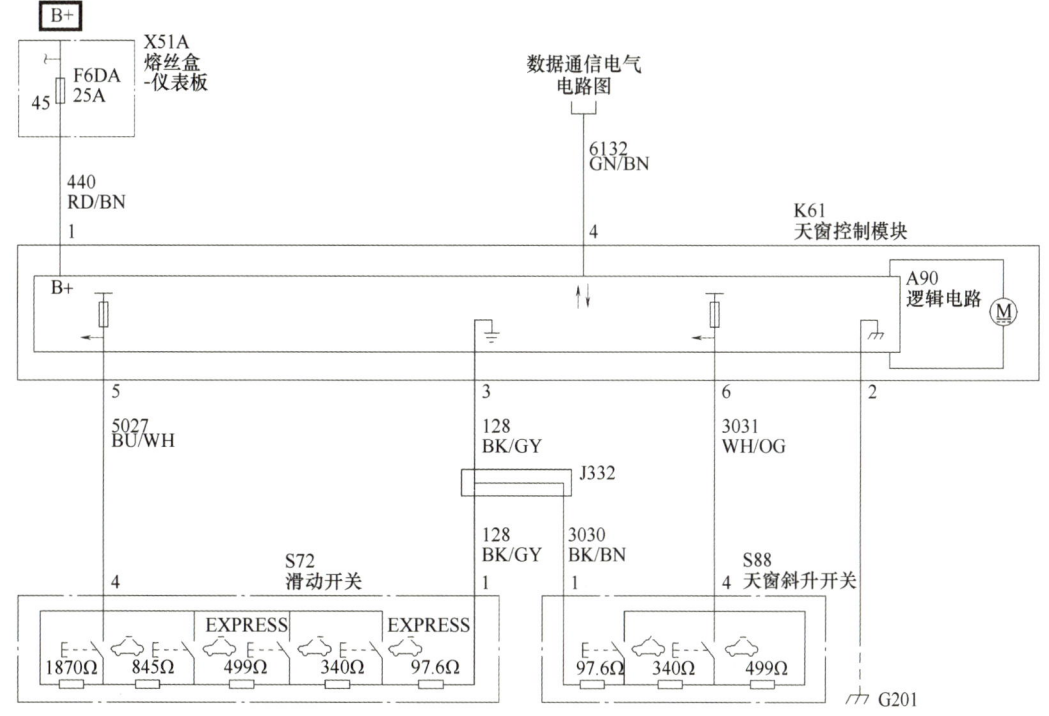

图 7-16　通用威朗汽车天窗控制电路图

| 舒适系统的设定与维护 | 学习任务单 | 班级：
姓名： |

1. 写出图中数字所指零件的名称。

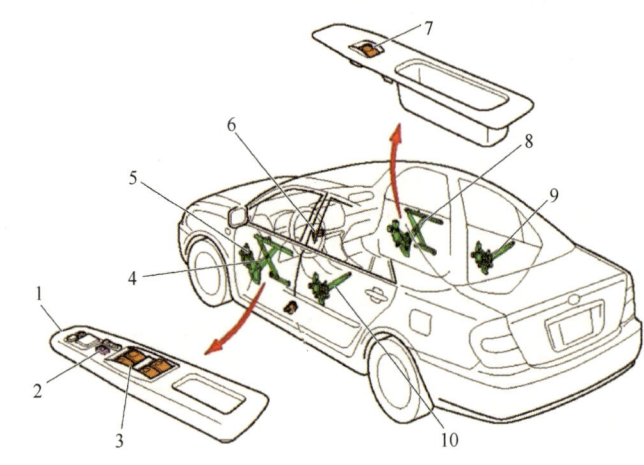

1. _____ 2. _____ 3. _____

4. _____ 5. _____ 6. _____

7. _____ 8. _____ 9. _____

10. _____

2. 在下图中用红笔描绘当驾驶人操纵左后车窗下降时和乘客操纵右前车窗上升时电流流经的路线，并用箭头标明方向。

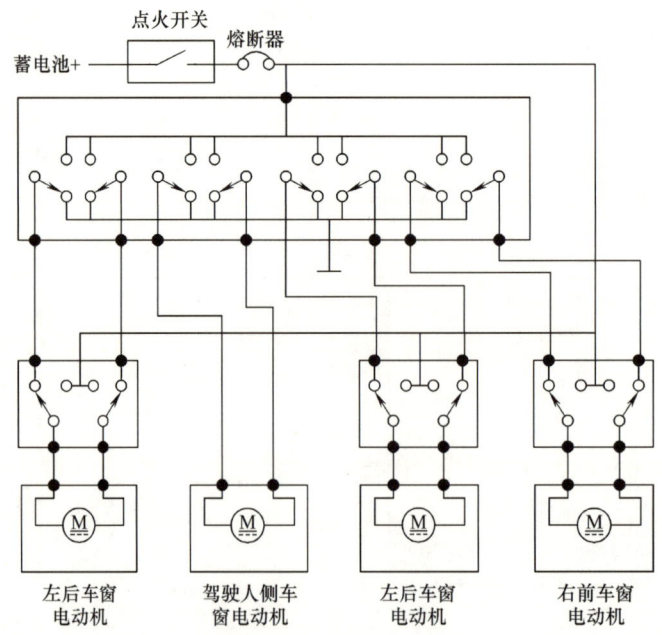

模块七 舒适系统的设定与维护

3. 在下图中用红笔描绘当驾驶人操纵左侧后视镜向上倾斜时电流流经的路线，并用箭头标明方向。

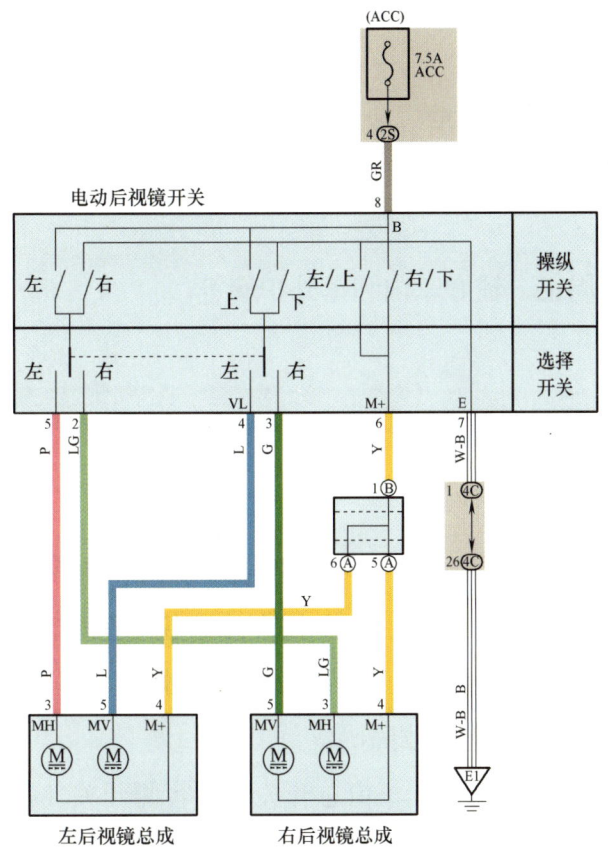

4. 写出图中数字所指零件的名称。

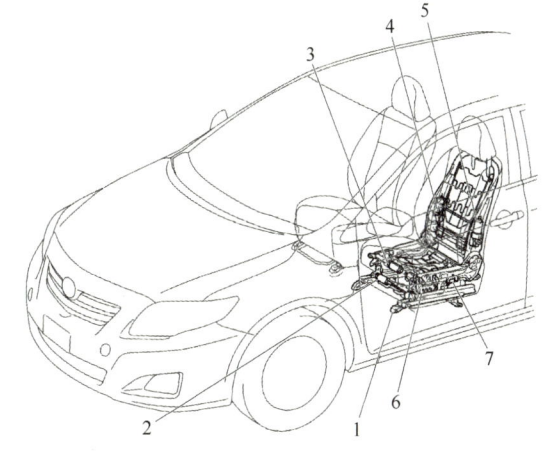

1. _____ 2. _____ 3. _____

4. _____ 5. _____ 6. _____

7. _____

147

实训任务　舒适系统的设定与维护

实训器材

通用威朗或丰田卡罗拉轿车、故障诊断仪、万用表、润滑剂、清洁剂、抹布、常用维修工具和维修手册等。

作业准备

车辆在工位停放周正，辅好车内和车外护套等。

操作步骤

一、数据流的读取与动作测试

1. 读取电动车窗数据流

1）将点火开关置于 OFF 位，将故障诊断仪连接到故障诊断座上。

2）将点火开关置于 ON（IG）位，并按下诊断仪电源键。

3）选择要检测的车型，进入车身系统，再进入电动车窗系统。

4）选择读取故障码，并记录故障码。

5）选择读取数据流，分别操作车窗总开关和乘客侧开关，各开关数据流应活动。

6）根据故障码和异常数据流信息查找维修手册，再根据维修手册流程查找故障原因。

2. 测试电动车窗动作

1）将故障诊断仪从数据流界面退出，进入执行元件测试菜单。

2）单击某车窗测试，该车窗电动机应动作。

3. 读取天窗数据流

1）将点火开关置于 OFF 位，将故障诊断仪连接到故障诊断座上。

2）将点火开关置于 ON（IG）位，并按下诊断仪电源键。

3）选择要检测的车型，进入车身系统，再进入天窗系统。

4）选择读取故障码，并记录故障码。

5）选择读取数据流，分别操纵滑动开关和斜升开关，各开关数据流应活动。

6）根据故障码和异常数据流信息查找维修手册，再根据维修手册流程查找故障原因。

二、车门车窗饰件的保养

1. 清洁天窗排水孔

1）打开天窗到全开位置。

2）将天窗导轨内的异物清理干净，如果导轨较脏，可以喷清洁、润滑剂，如图 7-17 所示。

3）将天窗排水孔周围的异物清理干净。

4）用压缩空气和气枪疏通各条排水管。

5）在天窗导轨上涂抹专用润滑脂，如图 7-18 所示。

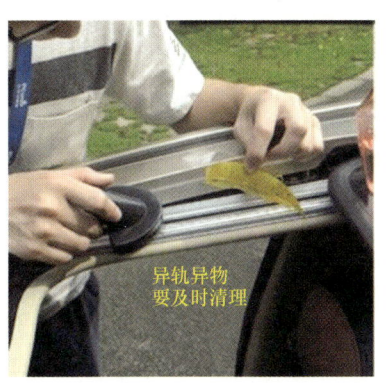

图 7-17　清理导轨异物

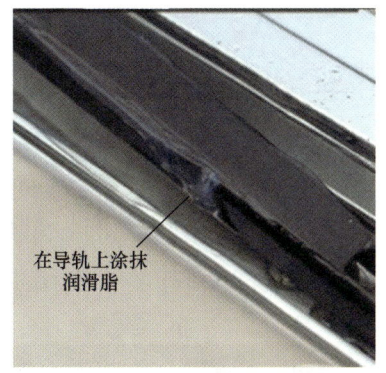

图 7-18　涂抹润滑脂

6）多次开关天窗，检查运行应匀速且无异常声音。

2. 清洁、润滑车门铰链

1）用清洁剂、润滑剂喷到各车门铰链处，如图 7-19 所示将铰链原来的铁锈和油泥清理干净。

2）用干净的抹布将各车门铰链擦干净。

3）将专用润滑脂均匀地涂抹在各车门铰链上，如图 7-20 所示。

图 7-19　喷清洁剂、润滑剂

图 7-20　专用润滑脂涂抹车门铰链

4）开关车门多次，检查开关车门时是否有异常声音，如果还有异常声响，检查润滑脂涂抹是否到位，如到位说明车门铰链可能损坏。

3. 清洁、润滑车窗升降导轨

1）检查各车门车窗玻璃应匀速上升和下降，且没有异常声音，否则应清洁并润滑车窗玻璃导轨。

2）在玻璃导轨胶条上喷上车窗润滑剂，如图 7-21 所示。

3）多次操纵车窗玻璃上升和下降，如还无法匀速升降或有异常声音，说明玻璃升降器或电动机可能损坏。

三、车窗玻璃升降器的拆装

1. 拆卸

1）用内饰撬板撬下车窗玻璃开关盖板，如图 7-22 所示。

2）断开车窗玻璃开关线束插头，如图 7-23 所示。

图 7-22　撬下车窗玻璃开关盖板

图 7-23　断开线束插头

3）拧下车门饰板的固定螺钉，如图 7-24 所示。

4）用内饰撬板撬下车门内拉手固定螺钉的装饰盖板，如图 7-25 所示。

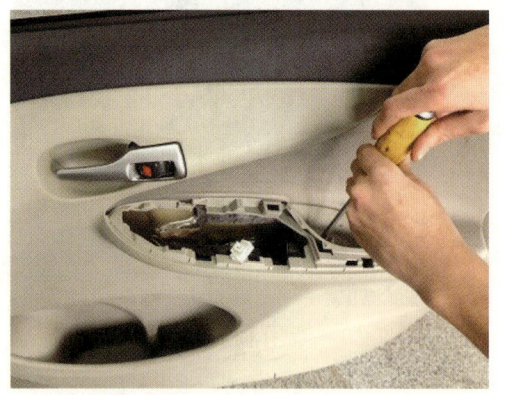

图 7-24　拧下车门饰板固定螺钉

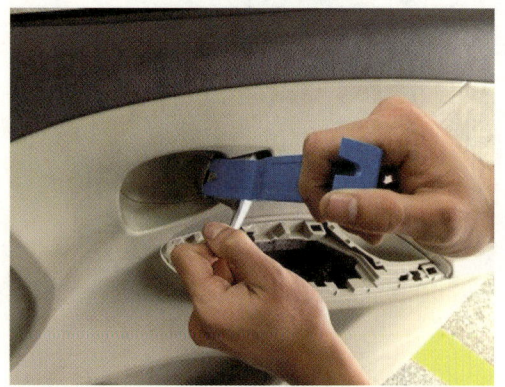

图 7-25　撬下装饰盖板

5）拧下车门内拉手固定螺钉，如图 7-26 所示。

6）用内饰撬板撬开车门饰板，如图 7-27 所示。

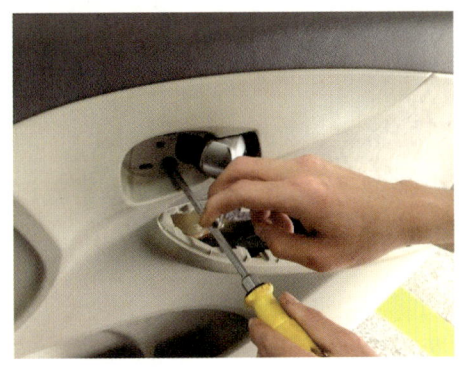

图 7-26 拧下车门内拉手固定螺钉

图 7-27 撬开车门饰板

7）取下车门饰板，并断开车内拉手拉索，如图 7-28 所示。

8）用合适的工具拆下玻璃托架固定螺栓，并取下车窗玻璃。

9）用合适的工具拧下玻璃升降器电动机的四个固定螺钉，如图 7-29 所示，并取下玻璃升降器。

图 7-28 取下车门饰板

图 7-29 拧下玻璃升降器电动机固定螺钉

2. 安装

按拆卸相反的顺序进行安装。

四、电动车窗故障的检修

电动车窗常见的故障有所有车窗均不能升降、单个车窗不能升降或只能向一个方向运动、电动车窗有异响等。

1. 所有车窗均不能升降

（1）故障现象　所有车窗均不能升降。

（2）故障原因

1）熔丝断路。

2）电动车窗继电器损坏。

3）相关电路断路或接触不良。

4）电动机损坏。

5）总开关损坏。

（3）检修思路

1）检查熔丝是否断路；如断路，重新更换新的熔丝；如正常，进入下一步。

2）用万用表或试灯检查总开关上的电源线电压是否正常，如电压为零或试灯不亮，应检查电动车窗继电器是否正常和电源电路是否正常；如正常，应检查搭铁电路是否正常。如正常，进入下一步。

3）对应开关位置图（图7-30），用万用表检查总开关是否正常，如不正常，更换总开关。

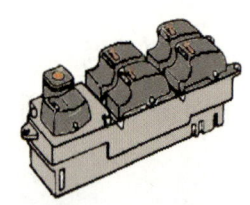
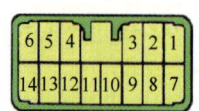

车窗运作		前				后			
		驾驶人侧		乘客侧		左		右	
端子 开关位置	6	2和1	13	8和7	5	2	12	8和7	2	14	11	8和7	2和1	10	9	8和7
车窗未锁 UP(升)																
车窗未锁 OFF(断)																
车窗未锁 DOWN(降)																
车窗锁上 UP(升)																
车窗锁上 OFF(断)																
车窗锁上 DOWN(降)																

图7-30 总开关位置图

2. 单个车窗不能升降

（1）故障现象　单个车窗不能升降或只能向一个方向运动。

（2）故障原因

1）故障侧车窗开关损坏。

2）故障侧车窗开关电动机损坏。

3）相关连接电路故障。

4）总开关损坏。

（3）检修思路

1）拆下故障侧的车窗开关，并拔下线束插接器。

2）用万用表或试灯检查车窗开关的电源线电压是否正常；如不正常，检查电源线的故障；如正常，进入下一步。

3）对应开关位置图（图7-31），用万用表测量车窗开关是否正常，如不正常，更换车窗开关；如正常，进入下一步。

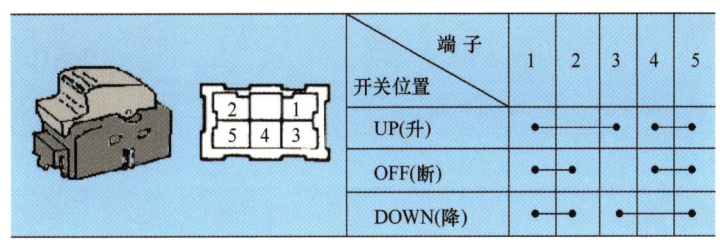

图7-31　分控开关位置图

4）拆下故障侧车门装饰板。

5）通电测试车窗电动机是否能够正转和反转（图7-32）；如不正常，更换车窗电动机。

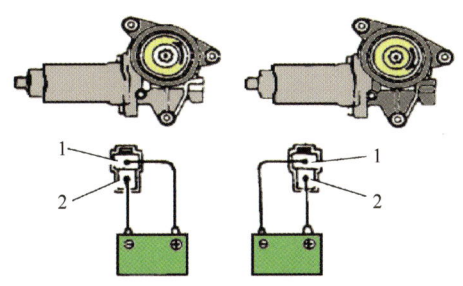

图7-32　车窗电动机通电测试

6）对应开关位置图，用万用表检查总开关是否正常，如不正常，更换总开关。

7）用万用表测量相关电路是否断路或短路。

实训任务总结：

汽车空调与舒适系统技术（初级） 第 2 版

舒适系统的设定与维护	工作任务单	班级：
		姓名：

1. 记录车辆信息

品牌		整车型号		生产年月	
发动机型号		发动机排量		行驶里程	
车辆识别代号					

2. 检查舒适系统功能

检查项目	检查情况	检查项目	检查情况
左前电动车窗升降检查	□正常　□异常	天窗滑动功能检查	□正常　□异常
左后电动车窗升降检查	□正常　□异常	天窗斜升功能检查	□正常　□异常
右前电动车窗升降检查	□正常　□异常	左后视镜功能检查	□正常　□异常
右后电动车窗升降检查	□正常　□异常	右后视镜功能检查	□正常　□异常

3. 使用诊断仪读取舒适系统的故障码及数据流

故障码	
清除后故障码	

项目名称	数据	项目名称	数据
左前电动车窗升降	□活动　□不活动	右后电动车窗升降	□活动　□不活动
左后电动车窗升降	□活动　□不活动	天窗滑动功能	□活动　□不活动
右前电动车窗升降	□活动　□不活动	天窗斜升功能	□活动　□不活动

4. 故障检修

故障现象	
故障可能原因	
故障检查过程	
故障点确认	
维修措施	□维修　□调整　□更换

5. 车门车窗饰件的保养

作业项目	记录	作业项目	记录
天窗排水孔的清洁	□执行　□否	天窗导轨的润滑	□执行　□否
车门铰链的润滑	□执行　□否	车窗玻璃导轨的润滑	□执行　□否

6. 维修手册的查询

序号	部件名称	章节及页码	规格（公制）
1		章　　　页	
2		章　　　页	
3		章　　　页	

模块七　舒适系统的设定与维护

舒适系统的设定与维护		实习日期：	
姓名：	班级：	学号：	
自评：□熟练　□不熟练	互评：□熟练　□不熟练	师评：□合格　□不合格	导师签名：
日期：	日期：	日期：	

舒适系统的设定与维护【评分细则】

序号	评分项	得分条件	分值	评分要求	自评	互评	师评
1	安全/7S/态度	□1. 能进行工位 7S 操作 □2. 能进行设备和工具安全检查 □3. 能进行车辆安全防护操作 □4. 能进行工具清洁、校准、存放操作 □5. 能进行三不落地操作	15	未完成项，每项扣 3 分	□熟练 □不熟练	□熟练 □不熟练	□合格 □不合格
2	专业技能能力	作业 1 □1. 能正确地检查各车窗升降功能 □2. 能正确地检查天窗功能 □3. 能正确地检查后视镜功能 作业 2 □1. 能正确地读取故障码 □2. 能正确地清除故障码并读取 □3. 能正确地读取系统数据流 □4. 能正确地根据数据流判定性能 作业 3 □1. 能正确地确认故障 □2. 能正确地确认故障可能范围 □3. 能正确地进行故障排查检修 □4. 能正确地检修确认故障点 □5. 能正确地判定维修措施 □6. 能正确地清洁、润滑天窗 □7. 能正确地检查、润滑车门铰链 □8. 能正确地检查、润滑车窗导轨	50	未完成项，每项扣 4 分，扣分不得超过 50 分	□熟练 □不熟练	□熟练 □不熟练	□合格 □不合格
3	工具及设备的使用能力	□1. 能正确地选用维修工具 □2. 能正确地使用维修工具 □3. 能正确地使用诊断仪 □4. 能正确地使用万用表	10	未完成项，每项扣 3 分，扣分不得超过 10 分	□熟练 □不熟练	□熟练 □不熟练	□合格 □不合格
4	资料、信息的查询能力	□1. 能正确地使用维修手册查询资料 □2. 能正确地记录查询资料章节及页码 □3. 能正确地记录所需维修信息	10	未完成项，每项扣 3 分	□熟练 □不熟练	□熟练 □不熟练	□合格 □不合格
5	数据判断和分析能力	□1. 能判断天窗功能是否正常 □2. 能判断车窗升降功能是否正常 □3. 能判断/分析系统数据流 □4. 能判断/分析维修故障点	10	未完成项，每项扣 3 分，扣分不得超过 10 分	□熟练 □不熟练	□熟练 □不熟练	□合格 □不合格
6	表单填写与报告的撰写能力	□1. 字迹清晰 □2. 语句通顺 □3. 无错别字 □4. 无涂改 □5. 无抄袭	5	未完成项，每项扣 1 分	□熟练 □不熟练	□熟练 □不熟练	□合格 □不合格

总分：

参 考 文 献

［1］谭本忠. 汽车空调原理与维修［M］. 济南：山东科学技术出版社，2010.
［2］赵锦强. 汽车空调系统检测与维修技术［M］. 济南：山东科学技术出版社，2011.
［3］上汽通用汽车有限公司. 汽车空调系统及检修［M］. 北京：高等教育出版社，2016.
［4］北京中车行高新技术有限公司. 汽车专业领域职业技能等级证书汽车运用与维修职业技能考核培训方案准则［M］. 北京：高等教育出版社，2019.